고수

고수
15
문정후·류기운

차례

185화

쌔잉

클
클
클
클…

어떠냐.
너를 살리기 위해
검사의 생명인 팔까지
희생시킨 너의 벗이다.

설사 환술이라 해도
냉정하게 대할 순
없을 테지….

그것이 너 강룡이란
인간의 본성 아닌가!
클
클
클

흨..

카각..

퍼억..

스으..

처이..

콰앙..

……!

흐음…, 조금은
성장했다는 건가?

시간 낭비라고
했을 텐데.
아직 환술 따위로
나를 동요시킬 수 있을 줄
알았다면 착각이다!

콜
콜
콜
콜..
하면, 이번엔 어떨까?
환술일까 아닐까…?

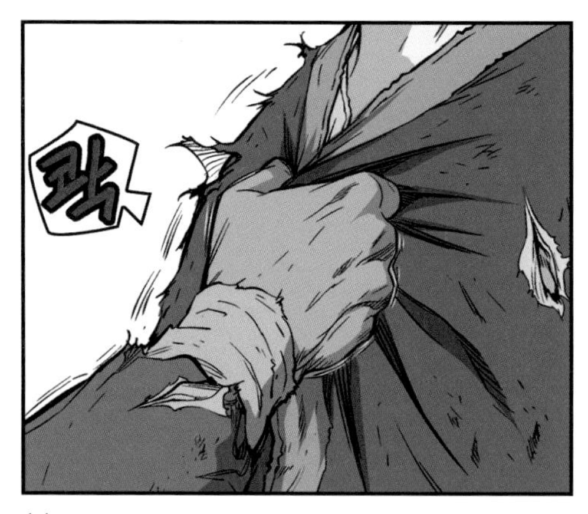
콱

한 가지 알려주자면,
이들 중 누군가는
환술이 아닌 실체다!
자, 어떻게
상대하겠느냐.

콜
콜
콜
콜..

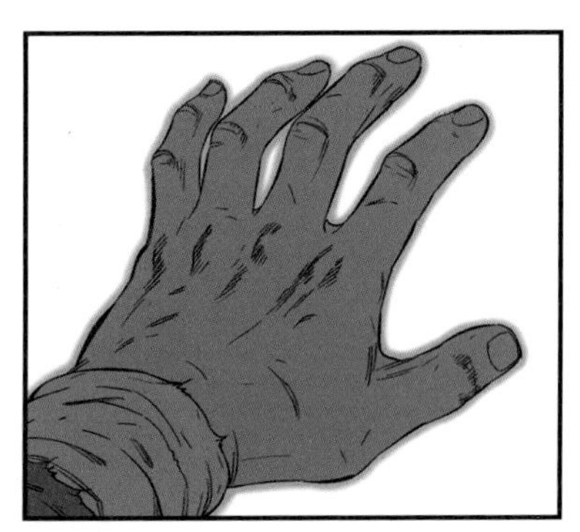

턱

꽈드득..
꽈득..

읏!

샤아아아..

크으.

꾸드득..
꾸득..

꾸득..
꾸득..

콰아아..

쿠웅...

콰아아…

!

크…!

아
아
아..

허억
허억

음?

!

쾅

환술이 통하지
않는다는 큰소리가
허언만은 아니었군.
그 시신만 실체란 걸
용케 알아봤어….
쿡 쿡 쿡..

가만,
혹시…,
용안을 가진
아이로부터 무언가
조력이 있었던 건가…?

콱

제령왕 환사,
사부님을 대신해
목숨을 거두겠다!

피
잉
..

음?
콰
콱

끼이잉..

츄하악..
!

쿠 쿠 쿠 쿠

…….

저 채찍은
사패천의…?

이곳은
나의 공간이다.
설익은 아이로부터
조력을 받은 정도로
정말 나의 환술을 깨뜨릴 수
있다고 생각하느냐?

그리고…,
환술만 극복할 수 있으면
나 정도는 간단히 처리할 수
있을 거라 믿었어?

오너라.

네놈들이 익혀온
그 무공이란 것이
얼마나 알량한 것인지
내 몸소 가르쳐주겠다!

…….

186화

상처 회복이
잘 안 되는 모양이군.

왜 그럴 것 같으냐? 무분별하게 써대는 바람에 '단'의 힘이 바닥나서?
아니면 천원진에서 버티는 것만으로 너무 많은 기가 소요돼 상처 치유에까지 작용할 여력이 없어서?

…정답은 바로 이 제령왕 환사가 상대이기 때문이다.
네 몸속의 '단'은 내가 만든 기물이기에 나를 상대로는 그 힘을 발동시키지 않아!

너는 단을 얻기 전에 가졌던 원래의 힘만으로 싸워야 할 것인즉,
환혼귀진대법으로 수많은 절세 고수들의 무공을 소유하고 있는 나를 상대로 과연 승산이 있을까?

…….
꽈드득..

!
자박…
흥!
직접 부러져보기 전엔
승복하지 못하는 것이
너희 무인이란 종자들의
습성이지!
피잉…

콰앙…

몸놀림은 제법
쓸 만하다만…!
킥…

오륜철장!
큐웃…

쯔어…

우드득…
큭
콰쾅…
텅…

이럴 수가…!

환술만
수련했다는 자의
내력이….
움찔
움찔

스으으…

?!

후우욱…
어딜 보고 있느냐!

독수신공
만독절패!

콰쳐어엉…

!

콰
콰
콰…

치익…!

쿠웅…

큽…

쿨럭 쿨럭…
크윽…
…….

쿠어어…

…….

이백 년 전 무림을 지배했던
독수신마 나종명의 만독절패….
너는 들어본 적도 없을 테지?
흡성무공과는
대칭되는 무공으로
접촉하는 것만으로도
치명적인 독기가 스며들어
혈맥을 파괴하는
살초다!
독에 어지간히 내성이
있는 자라 할지라도
예외는 없느니….

헉
헉

으으윽.

기껏 설명해주었더니
이해를 못 하는 건가?

쉬이잉..

싸움은
끝났다.
이 공간을 벗어나지 않는 이상
너는 파괴되는 혈맥으로 인해
반각 이내에 반드시 죽는다!
그런 상태로
억지로 움직이거나
무리하게 내력을
끌어올리려 든다면
죽는 시간만 더
단축될 뿐….

……
하나 이미
한 번 죽어가던 네게
새 생명을 준 장본인으로서
한 가지 제안을 하지.
내 옆에서 나와 함께
새로운 세상을 맞이할
생각은 없느냐?
나를 죽이기 위한
기회로 이용하더라도
개의치 않겠다.

패왕으로부터 파천신공을
전수받긴 했지만 애초에 너는
무림인이라 하기에도 어정쩡한
중간자의 입장이니…,
옥천비와 내가
현 무림인들을 상대로
무슨 일을 하든 너와는
상관없는 일일 터.

내가 목적을 달성할 때까지
'기회'를 살리지 못한다면
그땐 기꺼이 내 목숨을
네게 넘겨주겠다.
목숨이 반각도 남지 않은
지금 너의 입장에서 본다면
실로 파격적인 제안 아닌가!
어차피 나를 죽여
사부의 복수를
끝내는 것이
네 목적일 테지.
…옥…천비라면 신선림에서
찾고 있는 자라고 들었는데
당신들과 한패였나…?
그자만으로는
신선림 은자들을 대적하기
어려울 것 같으니
나를 대신 신선림과
싸우게 할 속셈이군….
쿡쿡쿡!
착각하지 마라,
애송아….
수라마제 옥천비는
역대 무림사에서도 적수를
찾기 힘든 최강의 고수.
옥천비와 나는
전략적 동맹관계인 만큼
상황이 달라지면 결국 각자의
길을 가게 될 것이다.
만약 신선림 늙은이들이
옥천비를 꺾을 수 있는 수준이라면
네가 그들의 상대가 될 것 같으냐!
너의 존재는
그때를 대비한 안배….
어떠냐, 내 제안을
받아들이겠느냐?

그 정도 능력이라면
무공을 사용하건 환술을 이용하건
옥천비란 자를 굴복시켜
수하로 부리면 될 텐데,
왜 굳이 위험을
감수하면서까지
나를….
울컥…

…….
그의 몸속에 있는
'단'이 아니었다면
가능했을지도 모르지.
그리고
옥천비가 소유한 '단'은
내가 만든 것이 아니기에
내 힘으로 통제할 수 없다.

나의 제안을 받아들인다면
지금 네가 일부밖에 쓰지 못하는
단의 모든 힘을 활용할 수
있도록 도와주지.
너의 의지와 역량에 따라
장차 저 수라마제 옥천비를
능가하는 경지에 오를 수도
있을 터…!

또한
내가 죽은 뒤
천하를….
싫어!

사부님을 죽이려 한 인간과
동료가 될 순 없지.
거절한다!

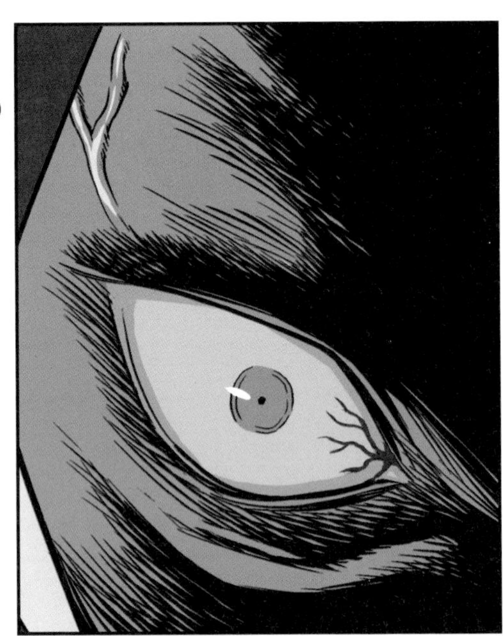

어리석은 놈이….

후욱.
훅.

퍼억..

큽..

키우응..

퍼퍼퍽...
퍼억..
크아아아..

사소한 감정에 집착해 살 수 있는 마지막 기회를 제 발로 차버리다니….

단을 소유한 자만이 단을 파괴할 수 있다!

만에 하나 적으로 돌아서는 상황이 온다면,
저 옥천비를 상대할 수 있는 유일한 적수는 네놈일 터.
뿌드득…
하나, 네 스스로 나의 제안을 거부했으니 단을 품고 있는 그 육체만이라도 가져야겠다!

본인의 의지로
협조하는 편이
더욱 이상적이겠지만,
내가 직접 조련한다면
영혼이 없는 '인형'도 훌륭한
살인병기가 될 수 있느니….

거짓이야…!

하지만 진실이기도 해.

무슨 말인지
알겠어?

……….

음…, 그러니까
좀 더 이해하기 쉽게
예를 들어보면,

일전에 내가 해준
'얼음과 불덩어리' 이야기
기억해?
실은 얼음조각이지만
그것을 불덩어리라고 믿게 만든 뒤
손에 쥐어주었더니 화상을 입었다는
얘기 말이야.

얼음조각이 불덩어리라는 건 거짓이지만, 그렇게 믿고 있는 사람에겐 진실이 돼버리는 거지. 그게 환술의 기본 원리야.
미혼향이라든가 다른 장치들은 환술을 강화하기 위한 보조 역할에 지나지 않아.
실제로 환술의 대가들은 별다른 보조 장치 없이 상대에게 환술을 걸어버리기도 하니까.
네가 찾고 있는 사람이 내가 봤던 그 괴인과 동일인이라면,
그자를 다시 만나는 순간 반드시 환술을 걸어올 거야!
내가 미리 네 머리끈 속에 수호령이 깃든 부적을 넣어두었는데도 뚫고 들어올 만큼 강력한 환술사야.
대면하자마자 넌 아마 채 인지하기도 전에 그자의 환술 속으로 끌려들어가 있을걸?

잊지 마!
그자가 앞에 있으면
주변의 모든 것들은
거짓이라고 생각해!
하지만
네가 믿기 시작하면
그 모든 거짓들은
진실이 돼버릴 거야.
거기서 빠져나오려면
'너'를 깨워야 해!
그러려면….

으득

음?

주륵..

피? 어째서…?
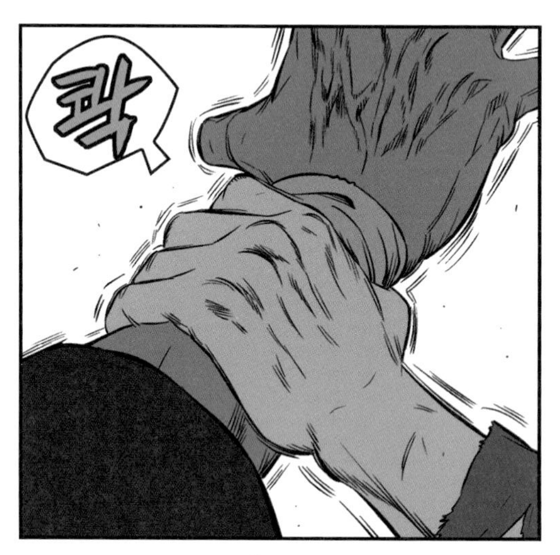
콱

뿌드득..

크악..

이미
가사상태에 빠졌을 텐데,
어떻게…?!

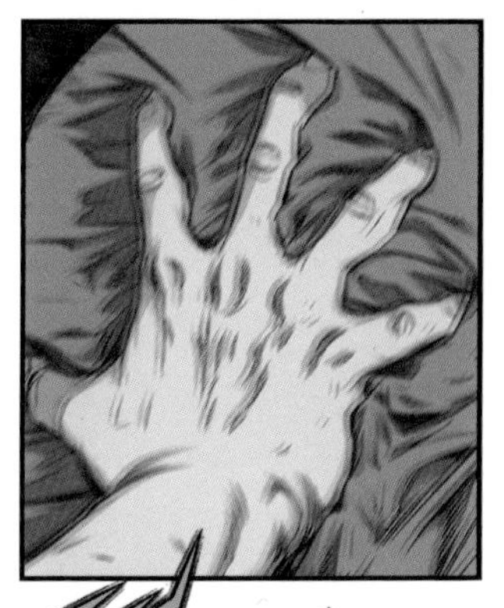

쩌어어…

파
파
파
파

여…긴
처음 들어왔던
그곳이군….
나는 계속
이곳에 있었던 건가…?

187화

그럼…
아랫것들 입단속은
알아서 하리라
믿고 가겠네.

아무런 죄도 없는 형님이
반신불수가 됐는데도
참으란 말씀입니까?
닥쳐라!

환술사는 무가에 종속된
존재일 뿐이다!
주어진 역할에만 충실하되
결코 전면에 나서서
공을 내세워선 안 되는 법이거늘,
네 형이 먼저 그 선을
넘었다지 않느냐!
문주님의 엄명에 따라
이번 일은 이것으로
매듭지을 것인즉,
그만 물러가거라!
……
겨우 저들의
주장만을 근거로
또 이렇게
넘어간다고?
어차피 우리가 없었다면
지금의 저들 또한
존재할 수 없었을 터.
설령
공을 주장했다 해서
그것이 왜
죄가 되는가!

잘 놀다
가네.
호호호..
하하하..
네, 네,
살펴 가시어요.

…참.
그리고,
문주님께서 긴히
소문주님께 전달하라 이르신
말씀이 있사온데….
음,
뭔가?

이번 일은
이미 벌어진 일이니
어쩔 수 없지만,
그들도 우리 문파에 필요한
존재들인 만큼 향후 환술사들을
대할 때 좀 더 포용하는 마음을
가지라고 하셨습니다.

나도 그러고 싶지만
그 음침한 놈 때문에 자꾸
내 권위가 더럽혀지니까
그런 것 아닌가.
놈은 자신의
임무에만 충실했을 뿐
사심은 없었을 것입니다.
좀 더 너그럽게
봐주시지요.

정작 부하들은
그렇게 생각하지
않는다는 게 문제야!
모두가 이번
흑월단 토벌전에서
가장 큰 공을 세운 건
그놈이라고 수군대는데
내가 어떻게 참을 수 있겠나!

의도했든 아니든
개가 주인의 명성을
밟고 오르려 하니
엄벌로 다스리는 수밖에.
원망하려면
개로 태어난 제 놈의 팔자나
원망하라고 해!

문주님께서
우려하시는 것은….
그랬군.

음?
웬 놈이냐?

그래도 일말의 죄책감 정도는
느끼고 있을 줄 알았더니….

!
네놈은…!

후우우우...

콰
장
창...

내 그토록
자중하라 일렀거늘!
어리석은 놈이
기어코 사고를
쳤더란 말이냐!
차, 참으십시오,
가주님….
그렇게 치밀한 놈이
어째서 목격자가 있었을 거란
생각은 못 했느냐!
각자의 칼로
서로 찔러 죽였을 뿐입니다.
누가 보더라도 술에 취해 벌어진
참사로 판단할 것입니다.
평소 성정이 포악한 소문주와
휘하 무사들 간의 갈등은
공공연한 사실이지 않습니까.
그 목격자의 증언을 바탕으로
문주께서 직접 네놈을
심문하겠다고 일러 왔다.
지금쯤 철기대가
네놈의 신병을
확보하기 위해
이곳으로
오고 있을 터!
!

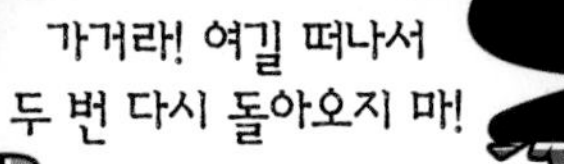

말씀드리기 조심스럽습니다만, 아무래도 분위기가 심상치 않습니다. 가주님도 함께 몸을 피하십이….

나까지 사라진다면 오히려 문주님의 분노만 더 자극할 뿐이네.

하나, 내가 남는다면 지금까지 우리가 해온 일들을 생각해서라도 최악의 상황만은 면할 수 있을 것이야.

한발 늦었군.
신병인수를 위해
철기대 몇 명만 보낸다고 하면
방심할 줄 알았더니,
설마 그새 자식 놈을
빼돌렸을 줄이야….
교활한 놈 같으니….

내 아들을 죽인
그놈을 놓친다면
이 음험한 것들의 씨를
말린다 해도
분이 삭지 않는다!
아직 근처 어딘가에
숨어 있을지도 모르니
철처히 수색하라!
옛!!

건물을 불태우고
수색조를 편성해
주변을 조사한다!
……!
……!

아, 아아….

내가
무슨 짓을….

…….
아니야….

나는 억울하게 당한
형님을 대신해 정당한
보복을 했을 뿐이야.
잘못은 우릴 사람으로
취급하지 않는 저놈들과
저런 놈들이 권력을 독점할
수밖에 없는 구조를 만든
이 썩어빠진 무림계에 있다!

저주받아라,
더러운 인간들아!
하늘이 너희를
용서치 않을 것이다!

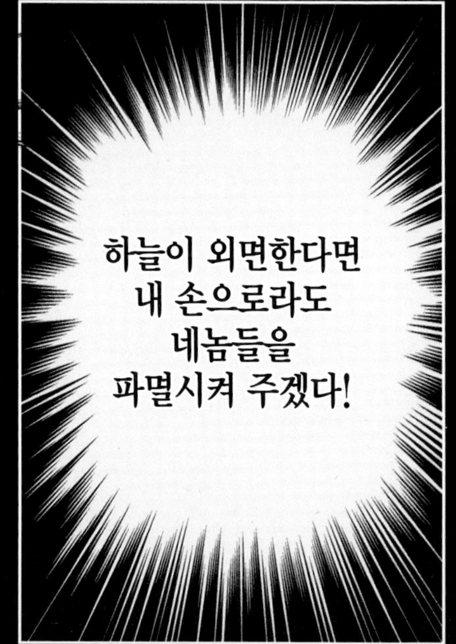
하늘이 외면한다면
내 손으로라도
네놈들을
파멸시켜 주겠다!

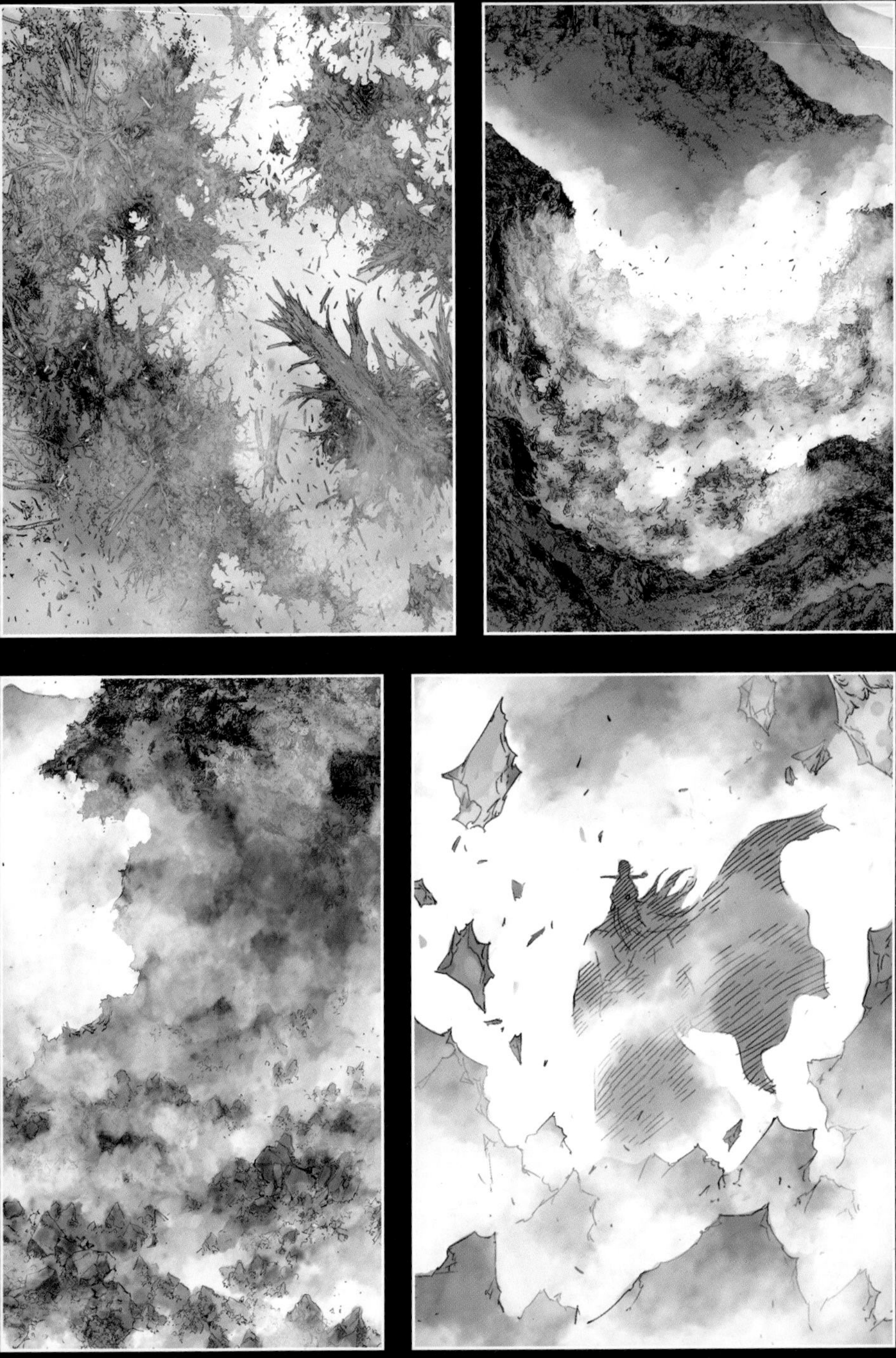

중원으로 간다!

썩어 있는 무림의 환부를
모조리 도려내고 파천문의 깃발 아래
새로운 질서를 세울 것이다!
모두 나의 길에 동참하라!

오오,
이 사람이다!
하늘이 나의 비원을
이뤄주기 위해
내려주신 귀인…!

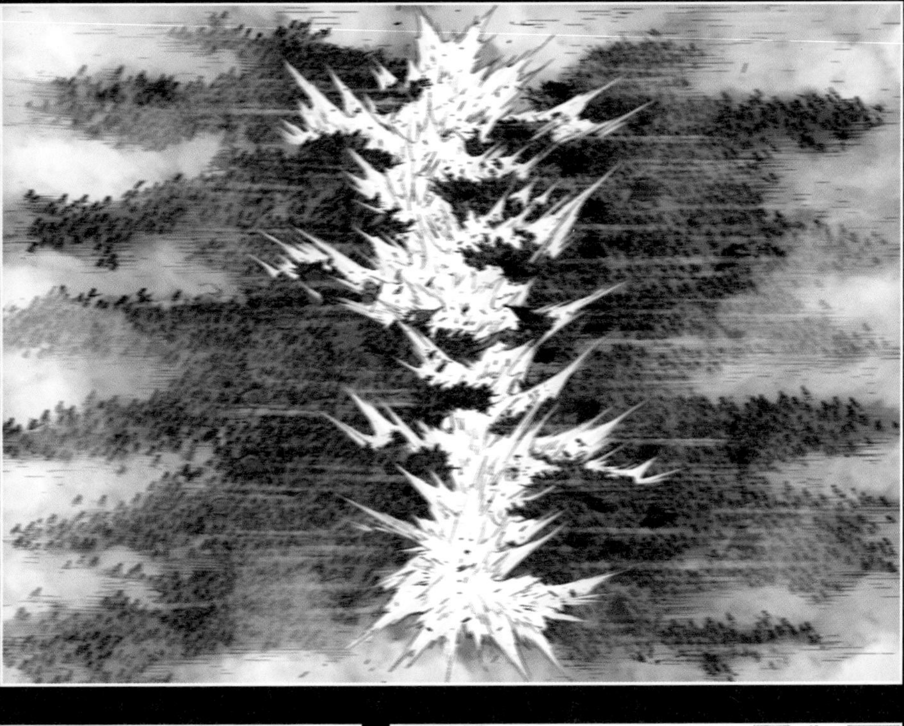

패업이 눈앞인데
여기서 멈춰 있는 이유가
대체 무엇이랍니까?!
낸들 사부님의 의중을
어찌 짐작하겠는가!

어쩌면 해동검문의 젊은
수장이란 자에게서 당신의 젊은 시절
모습을 보신 것일지도 모르지….
아니면 조금
지치신 걸지도….
……!

그럴 리 없어.
하늘의 뜻을 수행하는 분이 그런 사소한 감정에 흔들릴 리가…!
무슨 말을 하는 건가! 그런 일을 벌였다가 사부님의 진노를 사게 되면…!
사부님은 그저 주저하고 계신 것뿐입니다! 사형은 정말 사부님이 강윤이라는 무인 하나 때문에 천하 패업을 포기할 것이라 생각하십니까?!

비난은 잠깐이지만, 패업은 영원한 것입니다.
스승에게 주어질 오명을 대신 감수하는 것 또한 제자들이 해야 할 일. 지금이야말로 우리가 나서야 할 때입니다.
으음….

이런 일에 적합한 무리들을 이미 물색해 두었습니다. 일이 틀어지더라도 비난은 그들 몫이 되겠지요.
사형만 결단해주시면 뒷일은 제가 알아서 처리하겠습니다.

기, 기다려…
주십시오….

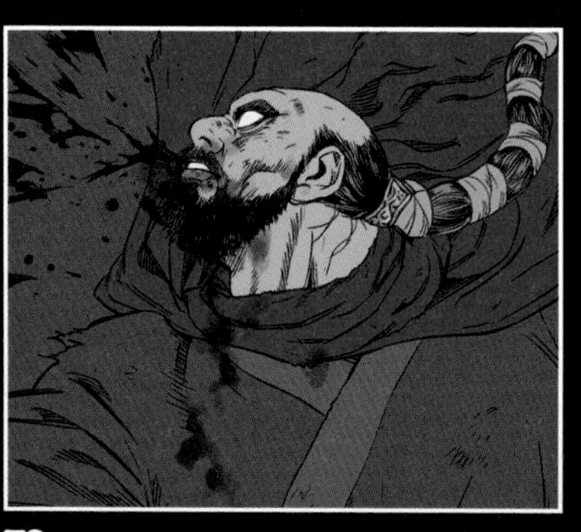

저희는 단지
문주님의 심중을
헤아리려 했을
뿐이옵니다.
우둔한 제자들이
무엇을 잘못했는지
일깨워주시기를….
내가 추구한 길은
정화를 위한 패도였지
파멸을 위한 패도가
아니었다!
네놈들은 그동안
내 옆에서 무엇을 보고
배웠더란 말이냐!

…….

…틀렸어.

이 사람은
내가 찾던 사람이
아니야.
본질적으로 저들과
같은 부류였을 뿐.

결국은 걸림돌이
될 수밖에 없는,
적(敵)이다.

어디에 있는가.

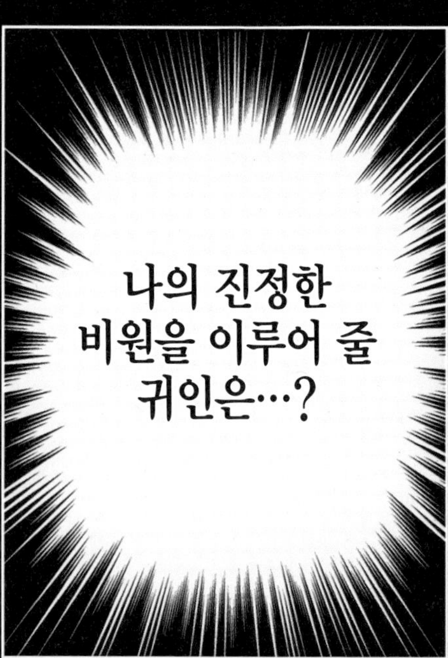
나의 진정한 비원을 이루어 줄 귀인은…?

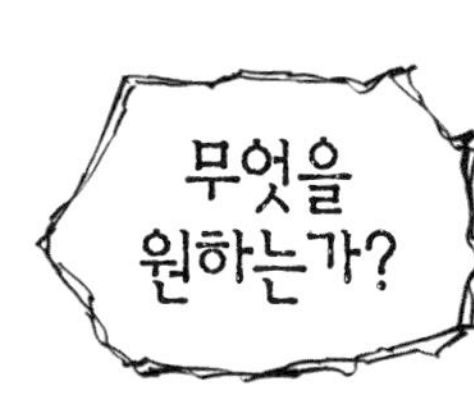
무엇을 원하는가?

네가 내 요구를 들어준다면
나 또한 네가 소원하는 것을
이루어주겠다.
무엇이든
원하는 바를
말하라!

찾았다!

한 달 만에 돌아오셨는데
여긴 들르지도 않고
또 떠나셨단 말인가!
빌어먹을.
……!
그 일 이후로 점점 더
우릴 멀리하시는 것 같아.

걸림돌이라면
치워야겠지.
…이미 답을 정해놓았으면서
묻고 있는 것 아닌가?

자네 정도의 환술가라면
동료를 '설득'하는 건
문제도 아닐 텐데?
…….

문주님이
살해됐다는 소문에
곳곳에 반란의
조짐이…!
놈들의 반응이야
예상했던 바,
이럴 때일수록
내부 단속을 더
강화해야 합니다.
쾅
사태가 이지경인데
귀영은 또 어딜 간 건가?!

이제 와서 당황하다니
자네답지 않군.

흐름이 그렇다면
거스를 순 없는 법.
부딪히기보다 피하는 것이
상책일 테지.

…그렇다 해도 그저 불만이나
토로하는 줄로 알았더니
설마 실행에 옮길 줄이야.
과연 중원인들이라
해야 할지….

애초에 은밀하게
처리하고 싶었다면
내게 데려오지 그랬나.
그 정도의 거물이라면
내 힘을 회복하는 데에도
상당한 도움이 됐을 텐데.

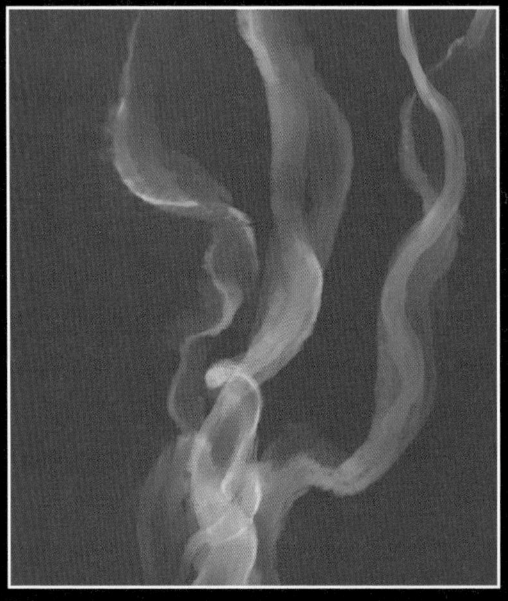

…….
도무지
종잡을 수 없는
인물이야….

그 힘에 대해서는 의심의 여지가 없지만,
수라마제 또한 결국 파천신군과 같은 길을 가지 않는다는 보장이 어디 있는가.
환술조차 통하지 않는 저런 괴물이 적으로 돌아서기라도 한다면….

그럴 경우를 대비한 안배가 필요하다.
마지막까지 배신하지 않으면서 저 수라마제 옥천비를 능가할 수 있는 무공을 겸비한 나만의 귀인이…!

혈비 정도의 그릇으로는 안 돼!

파천신군에 필적하는 무골 기재….

그리고
옥천비 몸속에 있는 것과
같은 기물을 품은….

쿨럭

…….

환…술사에게 주마등이라니,
이 무슨 꼴사나운….

우복형도
환술이었다니….
아직도 통증이
느껴지는데….

가…는 게냐.

나… 의 죽음도
확인하지… 않고….

그리고… 이 몸뚱아리가
나의… 분신이 아니라고
확실할 수… 있느냐….

천원진…, 그리고
사방에 두터운 벽….
예린이 말로는
이런 여건이라면
분신을 부리더라도
본체가 이 공간을 벗어날 만큼
멀리 떨어져 있을 수
없을 거라 했으니,

그렇군.

이 공간을
날려버리면 될 테지!
……!

쿠우…

후…우…

!

188화

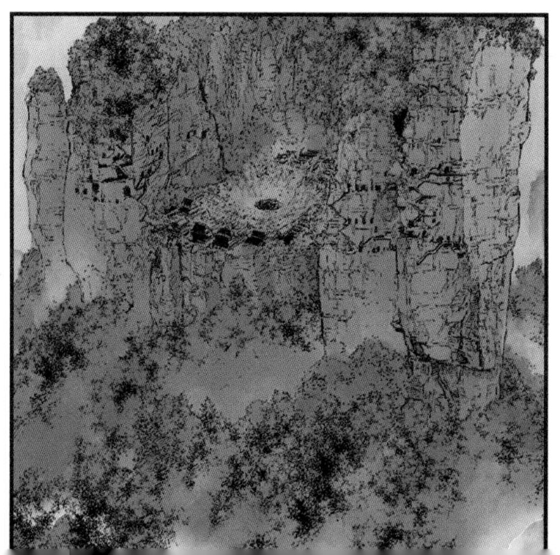

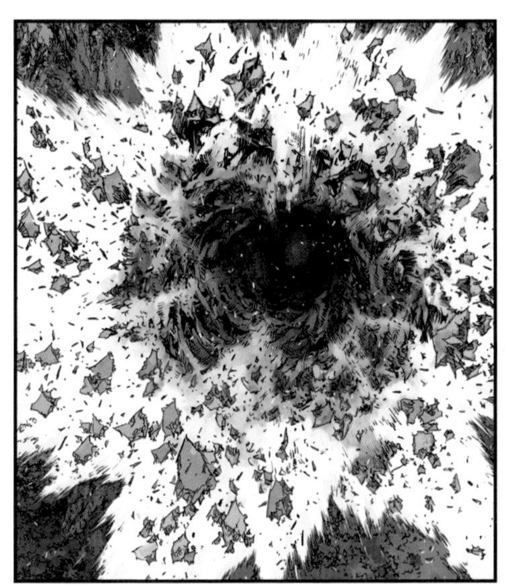
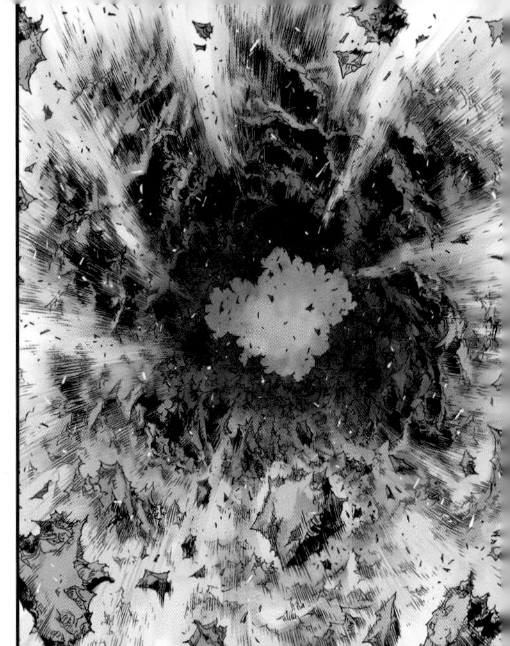

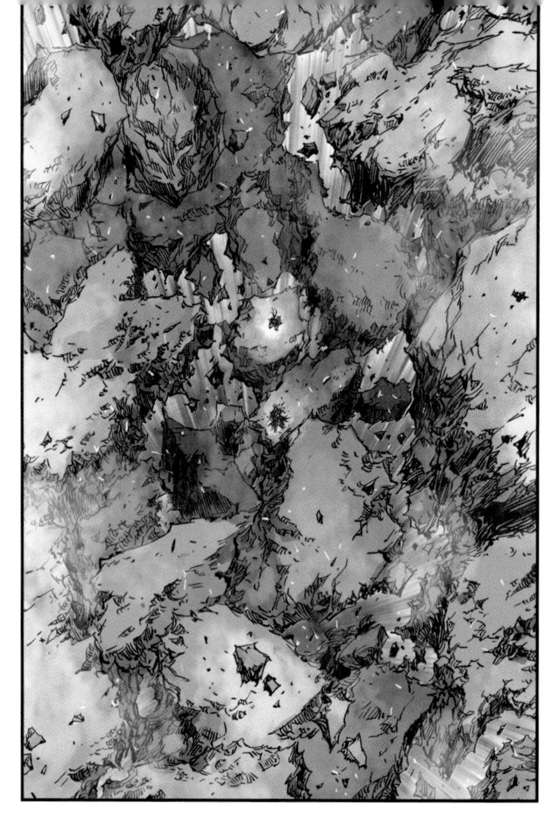

ㅋㅋㅋㅋ..

ㅋㅋㅋ..

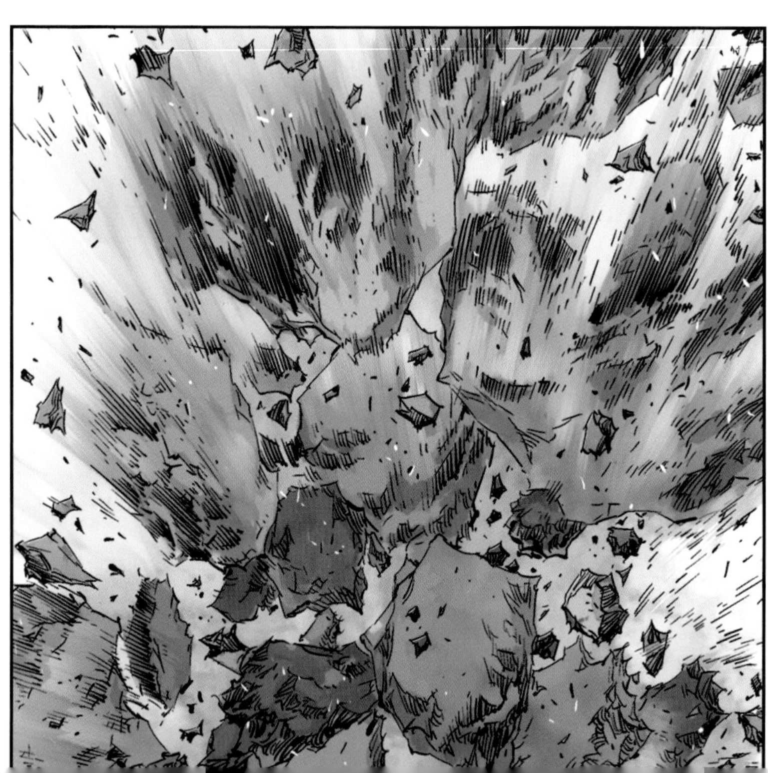

쿠
쿠
쿠...

…….

영감네들은 아니고…
용이인가?

왜 그러니, 예린아?
어디 불편해?
예?
아, 아녜요.
그냥 용이가….
용이가?

예…. 잠깐 동안
용이 의식이 끊어졌다가
깨어난 것 같은데….
그런 것도
알 수 있어?
굉장하네….
두 사람 치료는
아직 멀었어?
용이한테 붙여둔
수호령이 알려주거든요.
그런데 지금은 또
감이 멀어져서
무슨 일이 있는지
잘 모르겠어요.
그게…
겉으로 봐선 잘 모르겠어요.
계속 뭔가 치료를 하는 것
같기도 하고….
뭔가
무시무시한 것들이
가까이 있나 본데?
할아버지들
아닐까요?

슬슬 밖으로
나갈 준비를 하자꾸나.
나도 버티기가
점점 힘에 부친다.
쿠…
쿠…
쿠…
…….
…….

쿠
구.
구..
쿠콩..
퍼억..
콩.

....
뭔가
어수선하구만.

우웅...

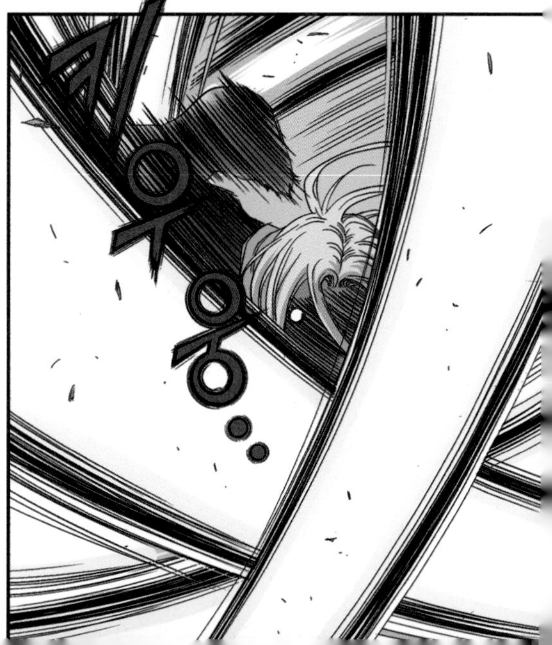
시우웅...

콰
아
야..

웃!

다른 데 정신을 팔
여유가 있느냐!

촤
향
아..

후웅..
가카카캉..

네놈이나
좀 더 집중하시지!

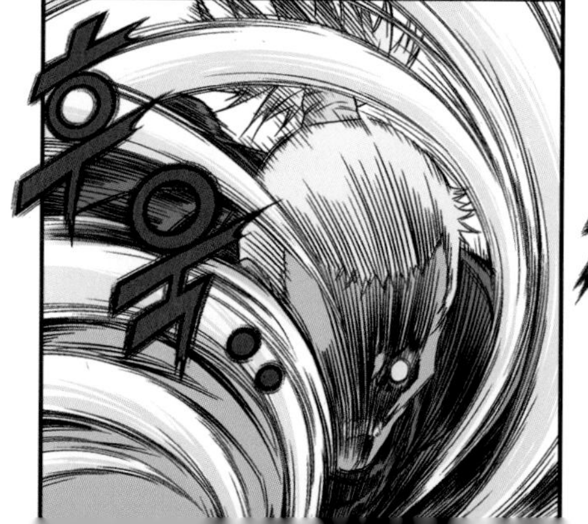
후욱..

쩌엉..

오래돼서
잊어버린 건가?

비류검의 방어와
공격은 한 호흡에
이루어진다는 것 말이야!
콰
앙..

카
앙....

!

네놈이야말로 오래돼서
2 대 1로 싸우던 감을
잃어버렸나?

콱
콱

콰앙앙...

큽...

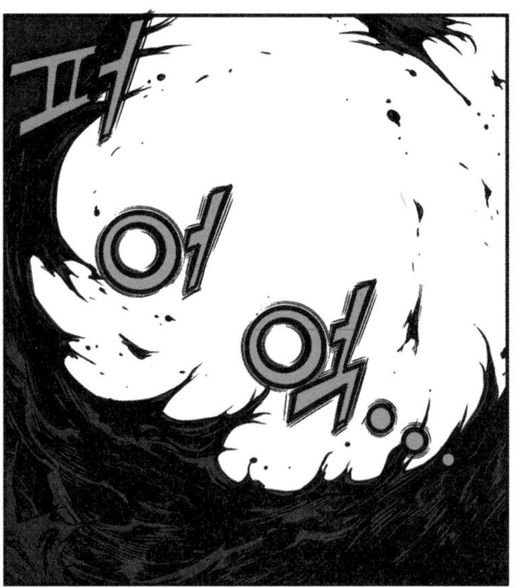
퍼어엉...

후
웅..

쇄
아..
음!

우웅
웅.

웅
웅
웅..
카카캉..

…….

웅
웅..

후웅。。
훙。。

훙。。

후웅
처락.
처락.

차락..
차락..

그렇군.
2 대 1이라….

하면…,
단계를 조금 더
올려야겠군.

스으..

……
봤나?

방금 그걸 깨뜨려서
소멸시키기 전엔
이 싸움은 안 끝나.
……

콰
우
우
우..

우둑…
우둑…

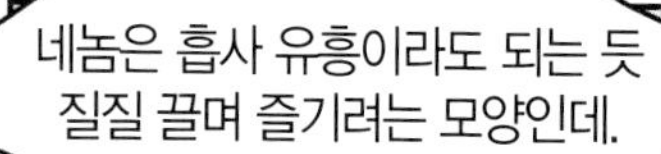
네놈은 흡사 유흥이라도 되는 듯
질질 끌며 즐기려는 모양인데.

파앙…

우린 이 싸움을
길게 끌 생각 없다!

기공?!

츠응

카카카캉

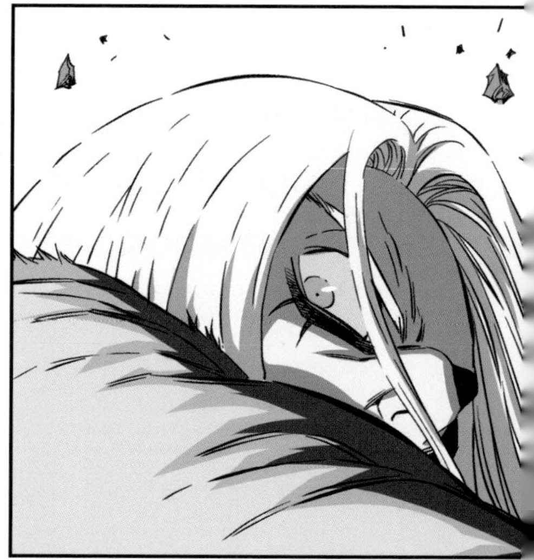

염마천폭지열!

흑산포…,

화룡출수!
콰웅

ヲ..

189화

…….
아무래도 속은 것 같습니다.
…….
포로교환은 수라마제 옥천비 그놈이 먼저 해온 제의가 아닌가. 왜 그런 얄팍한 짓을 한단 말이냐!
어쩌면 단순 변심일 수도 있겠습니다만….

백화산에서의 싸움을 앞두고
련주님을 본진에서
떨어트려 놓으려는
계략일지도 모르지요….
…망할 놈들 같으니.
그런 짓은 오히려 분노만
자극한다는 것도 모르는가.

돌아간다!
서두른다면 싸움이
시작되기 전에
도착할 수 있을 터!
련주님—!

명 장로님과
일행들을 찾았습니다!
결박당한 채 지하 석실에
갇혀 있습니다!
!

서둘러 철수하느라
버리고 떠난 것 같습니다!
오오….

련주님은 여기 계십시오.
저희가 모시고 나오겠습니다.
무슨 소리….
그 소심한 성격에
내가 직접 안 가면
또 무슨 원망을
할 줄 알고.
껄껄….
…….

캉

후—,
됐다.
금방
꺼내드리겠습니다,
장로님.
으읍읍!
그거 하나 깨뜨리는데
이렇게 오래 걸려서야.
쯔….

우웁,
냄새….

이런 돼지우리 같은 곳에 사람을 가둬 놓다니, 죽일 놈들…!
!
거, 노친네, 참…. 그만큼 연세를 생각하시라고 해도 내 말 안 듣더니 이 무슨 봉변이오 그래.
어디 다친 데는 없으셔?

사슬은 밖으로 나가서 자르는 게 나을 것 같은데요?
읍읍…!

야, 이것들아, 일어나라.
형님들 오셨다.
우선 입마개부터
풀어 드리겠습니다.
퍽
으읍!

저걱
으응?
이 가루들은 뭐야?

……!
화약?
킥

과연…
교주님 말씀이
맞았군.
킄킄킄…
음?

오면 안 돼!
합정이다!

!
!

인질 몇 명 구하겠다고
천잔왕 구휘가 여기까지
직접 들어올 줄이야….
서엇

빨리 련주님을
모시고 나가,
이 멍청이들아—!

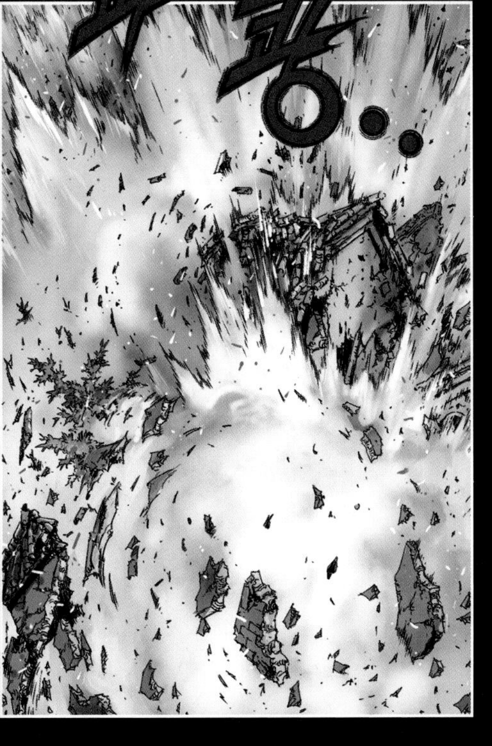
쾅..

억?!
저…!

쿠 쿠 쿠..
합정이다!
련주님—!
……!

쿠쿵
쿵.

무사하십니까,
련주님?!
련주님?!

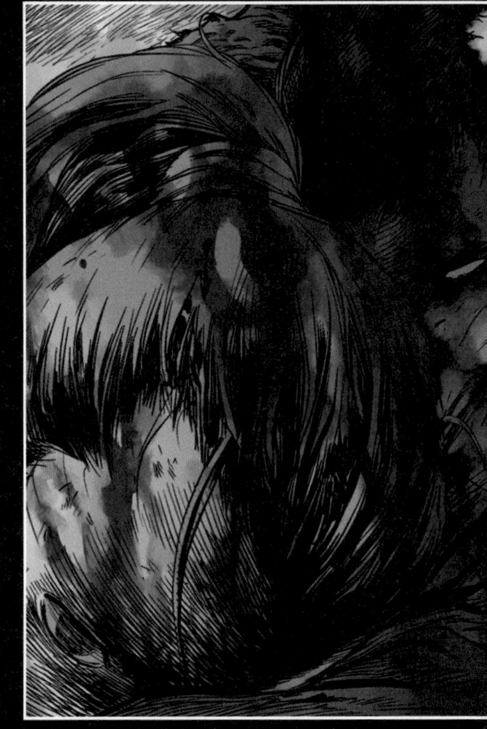

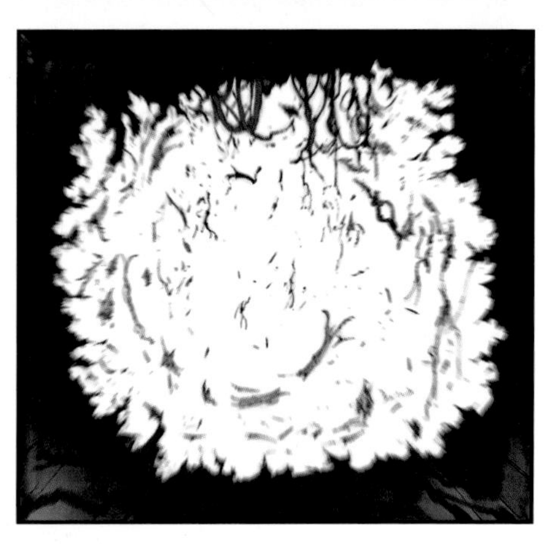

쿠
쿠
쿠
쿠..

쿠
우
우
우..

쿵..

후우..
후..

…….
역시…,

나이를 먹으니
지구력이 떨어지는구먼.
마누라가 몸에
좋다는 것들 달여줄 때
고분고분 받아먹었으면
좀 달랐으려나….

확실히 해치운 것
맞겠지?
…….

가자고….
가령이나 다른 아이들도
찾아야 하니까.

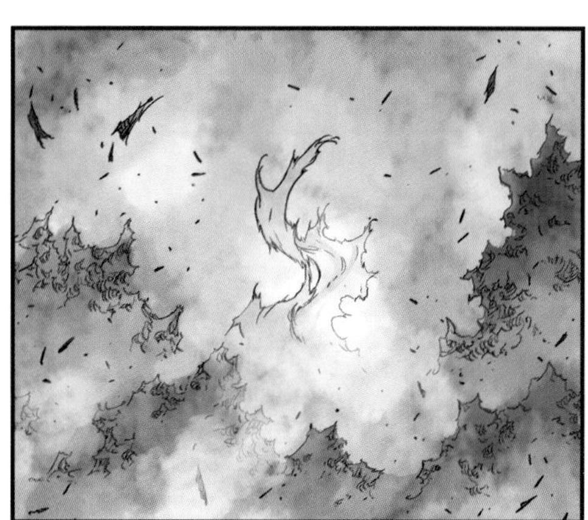

스으..

슈앗..

푸하악..

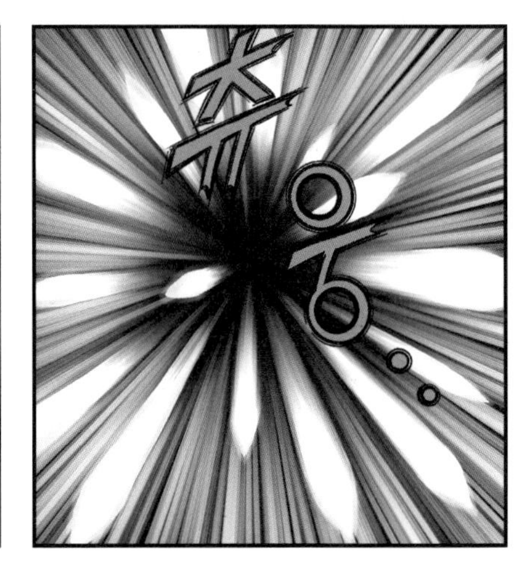

촤앙...

읏!
촤아악…

퓨우우우…

쨔엉…

쿠우우…

치릿
치릿
치릿
치릿

본좌가 죽었다 판단하고
그냥 가는 줄 알았더니,
속임수였나.
나이를 먹더니
더 교활해졌군.
권모술수의 대가인
네놈이 할 말인가.
죽었다고
믿게 하고 싶으면,
이 천원진인지 뭔지
기의 압력이나 좀
걷어내고 하든지.
그리고 그렇게
쉽게 끝날 거였으면
오히려 우리가
실망했을 거다.
이제야 몸이 좀
풀려가던 참이라서
말이야….

쉽게…?

…….

허세를 부리고 있군, 네놈들.
천원진의 압력에도 불구하고 그 정도의 절기를 구사한 것만큼은 인정해주겠다!
하나 그런 공격을 과연 몇 번이나 더 반복할 수 있을까?
반복은 고사하고 버티고 서 있는 정도가 한계일 만큼 기의 소모가 극심한 상태 아닌가?
들킨 거 같은데…?
그 주둥아리…!

위력적이긴 하나 그 정도의 초식으로는 본좌를 죽일 수 없다.
그것이 너희가 할 수 있는 최선이라면 더 이상의 기회는 없을 것이야.

거, 종알종알 말 많구만.
허세니 뭐니 떠들지만 네놈이야말로 이번 공격에 꽤나 놀란 것 같은데 그래?

뭐, 좋아.
숨겨둔 일격 필살의
비기 같은 거라도 보여주길
바라나 본데,
그렇게 보고 싶다면
보여주지.

영감은 비켜.
걸리적 거린다.

콱

뭐야? 네놈 혼자
동귀어진이라도 할
생각이냐?

이제 와서
뭘 새삼스럽게….

어차피 같이 한다고 해서
파괴력이 두 배가 된다는
보장도 없고 전력 낭비야.
최소한 놈의 '단'을
깨트리는 정도는 해놓을 테니
마무리는 영감이 하라고!

알고 있는지
모르겠지만…,

혈비란 놈을
죽인 건 나다.
놈도 너처럼
그 '단'이란 것을
몸속에 품고 있더군.

네놈의 '단'이 놈의 것과
어떻게 다른지는 모르지만,
적어도 그보다는
단단하길 바라는 게
좋을 거다!

처억

저벅..

!

190화

ㅋ응..

ㅋㅋ크..

…….
ㅋ크..

쿠
쿠
쿠
쿠...

!
콰아...

쿠
쿠
쿠..

쿠쿠쿵...
쿠쿵...

응?

아….

!

뭐야? 네가 왜 거기서 나와?
…아니, 그보다 너 아직 살아 있었냐?
예?

아, 예…, 그게… 나가는 길을 찾고 있다가….
이거 골치 아프군.

지금은 자넬
상대해 줄 여유가
없어.
조금 뒤로 미뤄줬음
좋겠는데…?

응? 뭐?
누가 누굴 상대해?
그, 그건…,

사실…
제가 멋대로 두 분을
오해하는 바람에….
죄송합니다!

오해?
…대체 둘이 뭔 일이
있었던 거냐?
…….

피해!

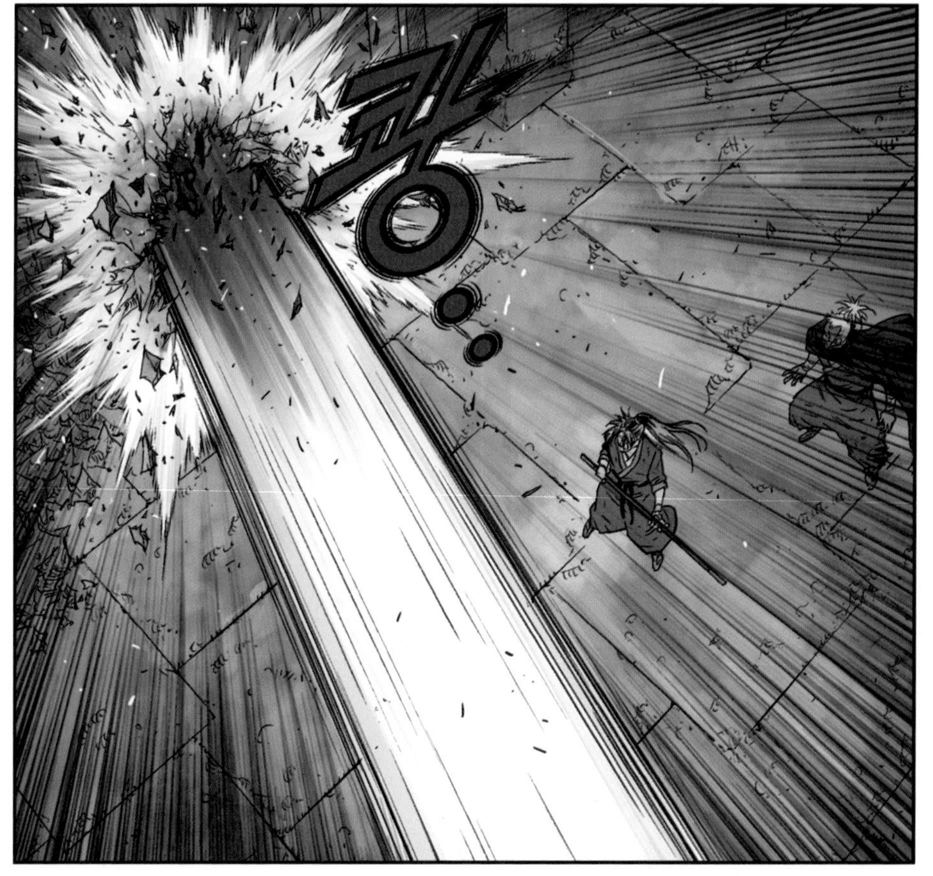
쾅

쿠
쿠
쿠

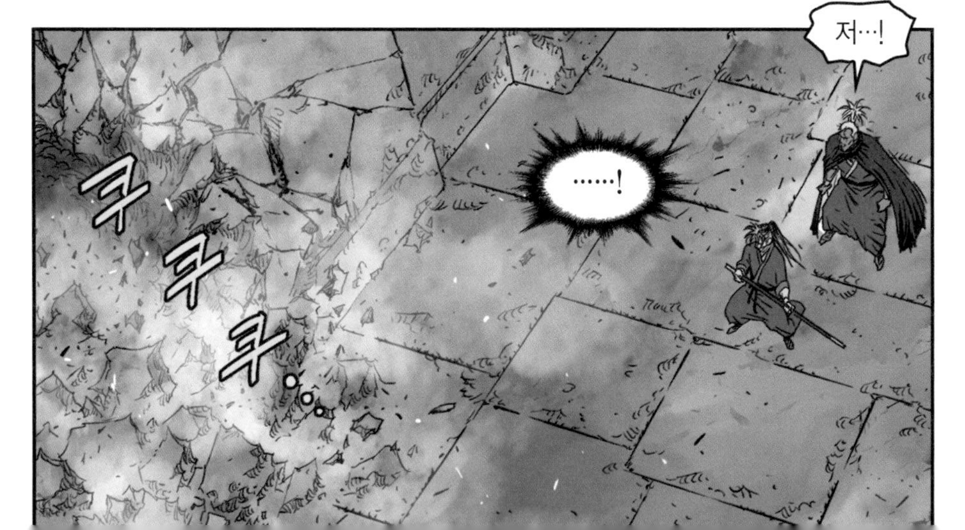
저…!
……!
쿠
쿠
쿠

어딜 보고
있는 건가?
누구도 이 싸움을
방해하지 못한다.
자, 오너라.
혈비의 단을
깨뜨렸다는 비기를
펼칠 생각 아니었나?
어서 보여라!
기꺼이 받아주겠다!

콰드득..

으윽….
콰득..

아야야….
깜짝 놀랐네.

괜…찮나?
아, 예….

…….

단… 인가?

환사가 선택했다는
강룡이란 애송이가
너였군!
이 천원진 속을
아무렇지도 않게
걸어 다니는 걸 보고
눈치챘어야 했는데….

…아니, 가만….
그렇다면 어째서
그 두 사람과
싸우지 않는 거냐?
설마 환사의
암시가 풀린 건가?
…놈으로부터 단을
이식받았다면
그럴 리가 없을 텐데?

당신이 환사가 말하던
옥천비라는 사람이군요.
환사는 죽었어요.

스승의 암살을 주도한 죄로
사부님을 대신해
내가 죽였습니다.
동료로서 그자의
복수를 하겠다면,
상대해 드릴 수도
있습니다만….
환사가…
죽었다고?
하면 왜 내가
감지하지 못했지?
애초에 환술사란 것들은
기를 감지하기가 어려운 데다
저 둘을 상대하는 데 신경을
집중시키고 있었기 때문인가?
…더구나 놈은 최근 들어
내 영향권에서 벗어나기 위해
여러 가지 장치들을
둘러치고 있었으니
무리도 아니야.

멍청한 놈,
내 힘을 빌리지 않고도
충분히 다룰 수 있다고
큰소리치더니….
끙..

저놈은 우리 상대야.
어디서 함부로 껴들고 있어.
……!

전 그냥 저분이
동료의 원수를
갚고 싶다고 하면….
어허!

단을 소유한
파천신군의 분신….
조력자를 찾는다는
명분을 내세웠으나 아마도
나를 견제하려는 목적으로
환사가 선택한 재목….
하나, 정작 놈의
그 강력한 주술로도
통제하지 못한
정신력의 소유자라….

이거
흥미롭군.

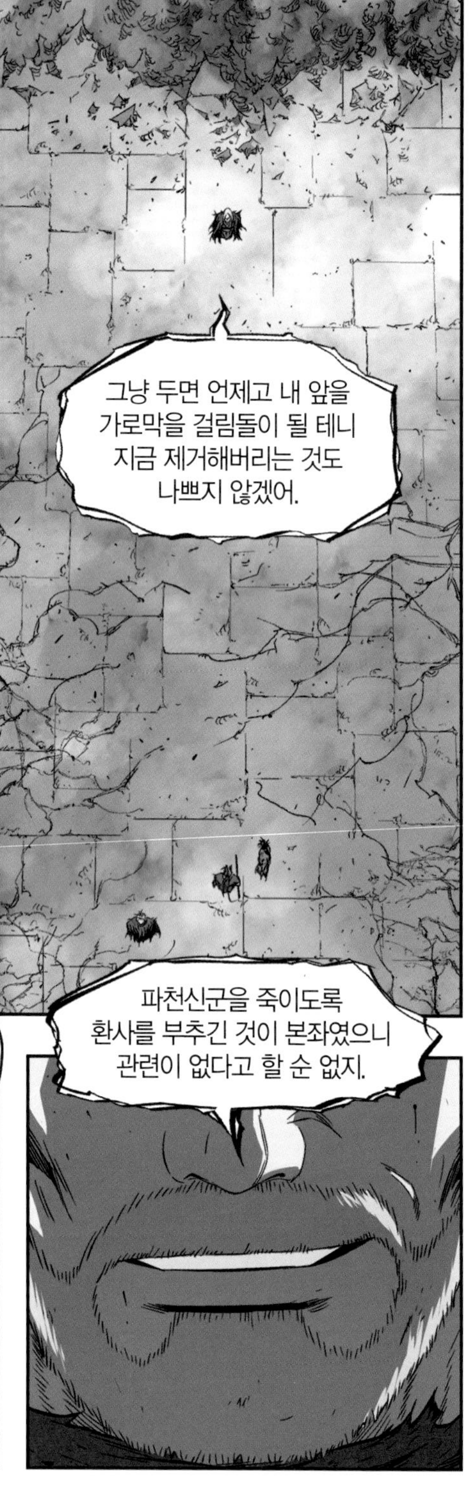
그냥 두면 언제고 내 앞을 가로막을 걸림돌이 될 테니 지금 제거해버리는 것도 나쁘지 않겠어.

파천신군의 제자…, 강룡이라 했던가?
헛소리! 이 친구는 너와 아무런 관련이 없는 제삼자다.
네놈이야말로 우리한테나 좀 더 신경 쓰지 그래.
파천신군을 죽이도록 환사를 부추긴 것이 본좌였으니 관련이 없다고 할 순 없지.

그렇다고 정말
스승의 등을 찌를 줄은
몰랐지만 말이야.
쿡쿡….
뭐?

처음엔 파천신군을
동료로 삼을 생각도 했지만,
그자가 신선림을 찾는 이유가
내 목적과는 상반된다는 걸 알고 나서
제거하기로 결정했다네.
환사가 파천신군을
지나치게 두려워하는 바람에
설득하기가 쉽지 않더군.
그렇다고 직접 나서기엔
당시의 나로서는 파천신군을 상대로
승산을 장담하기 어려운 상태였으니
결국 놈을 설득할 수밖에 없었지….
쿡쿡쿡쿡..

크하하하하…
저따위 말에
휘둘릴 것 없다.
저런 모략질은
놈의 상투적인 수법이야.

여긴 우리한테 맡기고
너는 다른 사람들을 찾아서
여길 빠져나가거라.

그건
안 되지.

천원진 내에 든 자들은
누구도 살려 보내지 않는다.
너는 뭘 하고 있는 거냐, 용비!
언제까지 본좌를
기다리게 할 생각인가!

할 생각이 없다면
내 쪽에서 시작하겠다!

아수라혈마공…,
마환광멸!
뭣?!
억!
쟈아…
!

쿵
쿠쿵
쿵.
쿠
쿠
쿠
쿠..

'마환광멸'을 막아냈어?
…….

내가 상대해주길 바란다면
환사의 복수를 이유로
내세우면 될 텐데.
왜 굳이
그런 말을….

당신…,
지금 한 말
책임질 수 있어?

……

본좌는 있었던 일을
말해준 것뿐이니라.

191화

흥!
스웅..

콰콱..

!
파드드..

컥!

파앙...

음!

힘으로 무형철쇄아를 풀어버리다니!

당신이 그들에게
사부님을 죽이도록
부추겼단 말이지….
있었던 일을
말해주었다 하지
않았더냐.
몇 번이나 더
반복해야 하는가!
반간계는 흔한
계책 중 하나일 뿐!
잘못은 그런 낡은 계책에 속아
스승의 등을 찌른 멍청한
네 사형들에게 있는 것이야!
이…

크음!

츄읏..

푸아악..

!

커..

빠아..

아아, 그렇군….
네놈에게도
'단'이 있었지…!

윽?!

쩌어...

콰아아아...

……!

크크크크..

크크크크..
쿠콩
콩

처락
처락
처락

헉..
헉..

…….
이거 설마 저 녀석 선에서 정리되는 건 아니겠지?
…….

아!

쩌엉...

츄아악..

츄캇
츄캇

콰드득...

꾸욱.

……!

환사가
선택한 재목이라
과연….

이렇게 없애버리기엔
아까운 놈이긴 하다만….
스-으-으

흡?!

파천신공…,

멸절이륜!

쿠우우우...

허엇…!!

저놈이 우리까지
쓸어버릴 생각인가!
후웅..

콰아..

쿠오오..

콰아아..

푸아아아
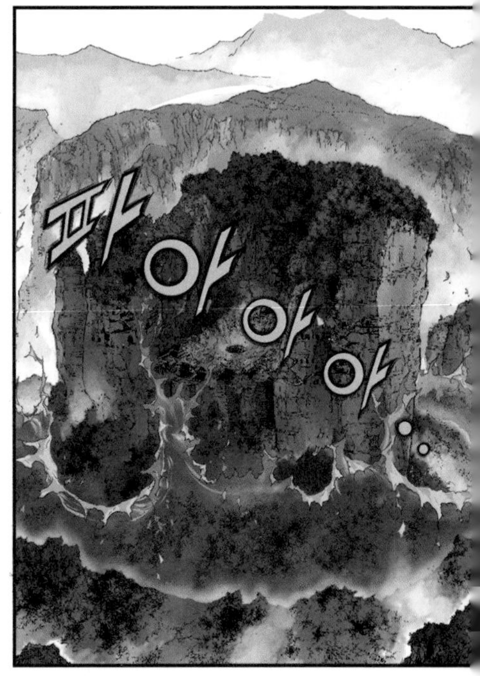
파아아아..

쿠
콰
콰
..

쿠..

저
저
저
저..
......!
헉?!
!!

쿠콰콰콰..
예린아!
으아앗!
까악!
......!

크.. 즈.. 즈.. 즈..

크 크 크..

크 콰 콰 콰..

192화

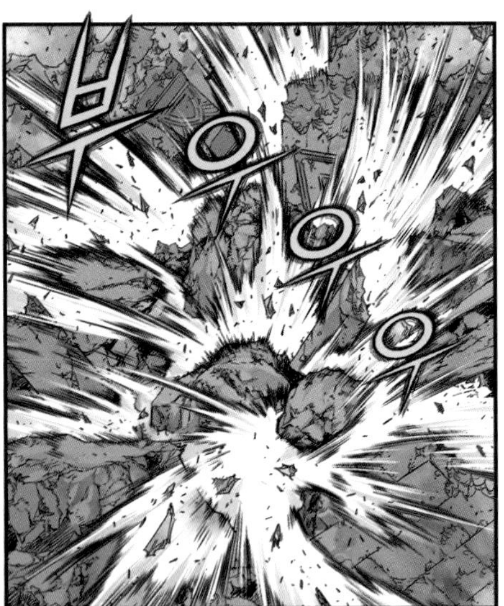
부오오오

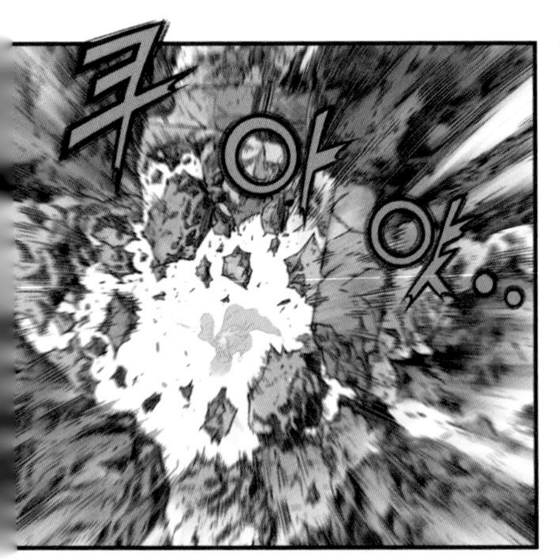
쿠아앗..

쿠콰콰콰..

으윽!
괜찮으세요?
쿠쿵..
쿵...

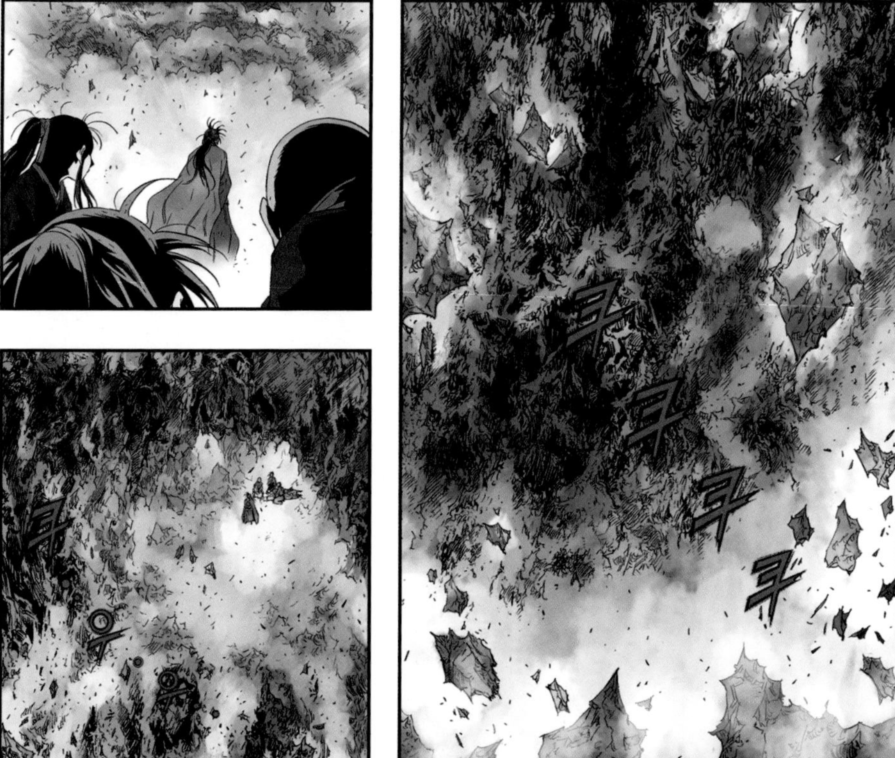
쿠쿠쿠쿠

ㅋ. ㅋ. ㅋ. ㅋ..

ㅋ. ㅋ. ㅋ ㅋ..

……
단이라는 것
때문인가….
감정이 격해지면 힘이
주체할 수 없을 정도로
폭증하는 느낌이….
이 힘을
통제하지 못하게 되면
어떻게 되는 거지?
나도 혈비처럼
되는 건가…?

크으윽!
저 어린놈의 무공이 이 정도라니, 무언가 잘못되었다.
환사, 이놈…. 저 애송이에게 대체 무슨 짓을 한 것이냐.
콰드득..

식령수의 힘을 이용한 천원진으로 인해 별다른 내력 손실 없이 놈들을 상대할 수 있었거늘.
그 천원진을 깨뜨려버리다니….

후우우..
…….

이런 상태에서
애송이 놈은 물론…,
천원진의 압력을
벗어난 그 두 명까지
상대하게 되면….

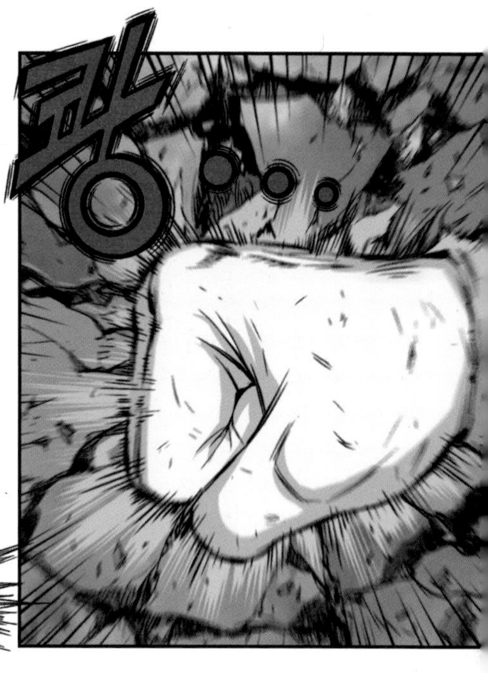
쾅…

쿠
쿠
쿠

결코 내가 예전보다
약한 것이 아니다.
놈들이 강해진 것이야.
놈들이 이룬
무공 성취가
나의 예측 범위를
뛰어넘었어.

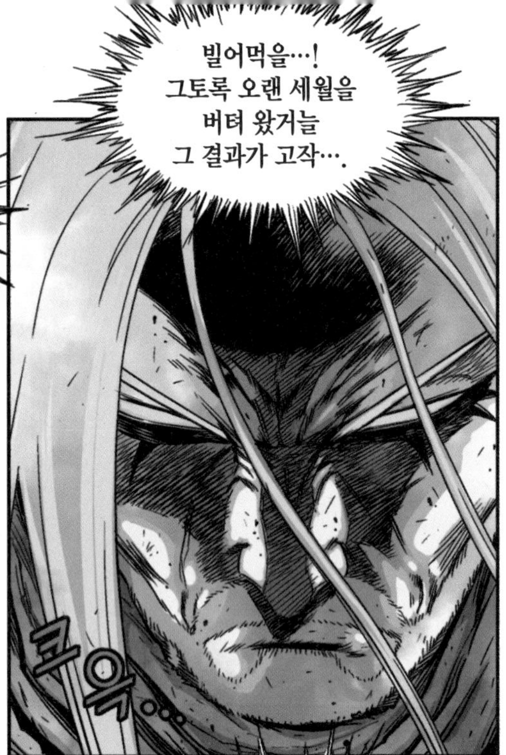
빌어먹을…!
그토록 오랜 세월을
버텨 왔거늘
그 결과가 고작….
크윽…

너는 지금까지
뭘 하고 있었나.
……이런 두더지 굴에
처박혀 있더니
무공도 썩어버린 건가?

닥쳐라!
네놈들이 아무리
강해졌다 한들
본좌가 하고자 한다면
네놈들 따위…!

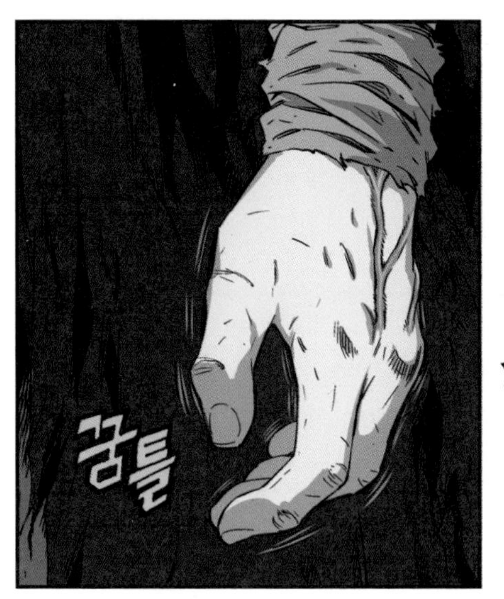
꿈틀

꾸드득
꾸득

아,
안 돼!
이 힘에 먹히면
더 이상 내가 나로서
존재할 수 없게 된다!
그것이 죽음과
무엇이 다른가!

이제 와서
이 힘에 굴복하느니
차라리…!
꾸욱.

위험하군.

몸속에서 단의 힘이 날뛰는 것 같은데.
그냥 두면 혈비가 그랬던 것처럼 괴물이 돼버리겠어….

그렇게 되기 전에 마무리 지어 드리지.
자신이 저지른 죄를 똑똑히 기억하고 가길 바라겠소….

…….

늙은이들도 운이 없군. 그렇게 오랫동안 기다려온 순간일 텐데 엉뚱한 놈이 가로채게 생겼으니….

어쩌면
그편이 나을지도
모르겠군…
하나, 명심하거라,
애송아!

키이우우우우…

기회가 두 번씩이나
주어지진 않을 것인즉.

꾸득

ㅋ·우웅..

ㅋ
ㅋ
ㅋ
ㅋ

ㅋ
ㅋ
ㅋ

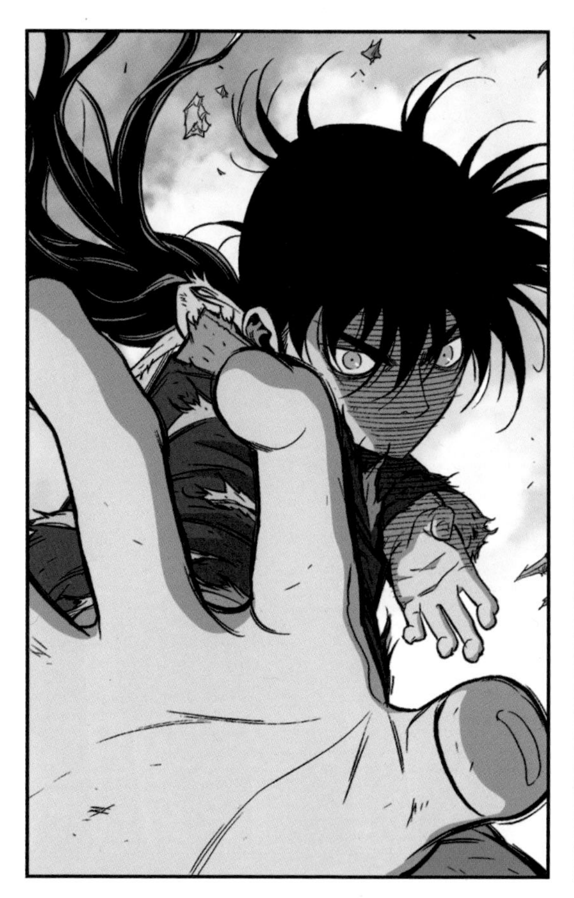

ㅋ
ㅋ
ㅋ
ㅋ

피했…, 아니,
튕겨낸 건가?
움직임이
거의 없었는데…?
크ㅋㅋ..

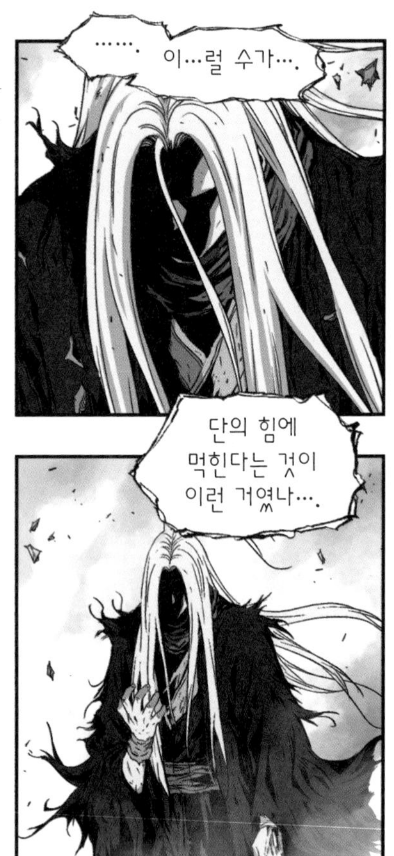
……. 이…럴 수가….
단의 힘에
먹힌다는 것이
이런 거였나….

허탈하군….
중얼…
나는 도대체 무엇 때문에
그 긴 세월을 돌아
지금까지….

?!

흐음…

젊…어졌어…?
아니, 단순히 젊어진 것뿐만이 아니야.
두근…
뭔가….

스윽…

'한 번뿐인 기회'를 날려버렸구나, 애송이….

윽?!

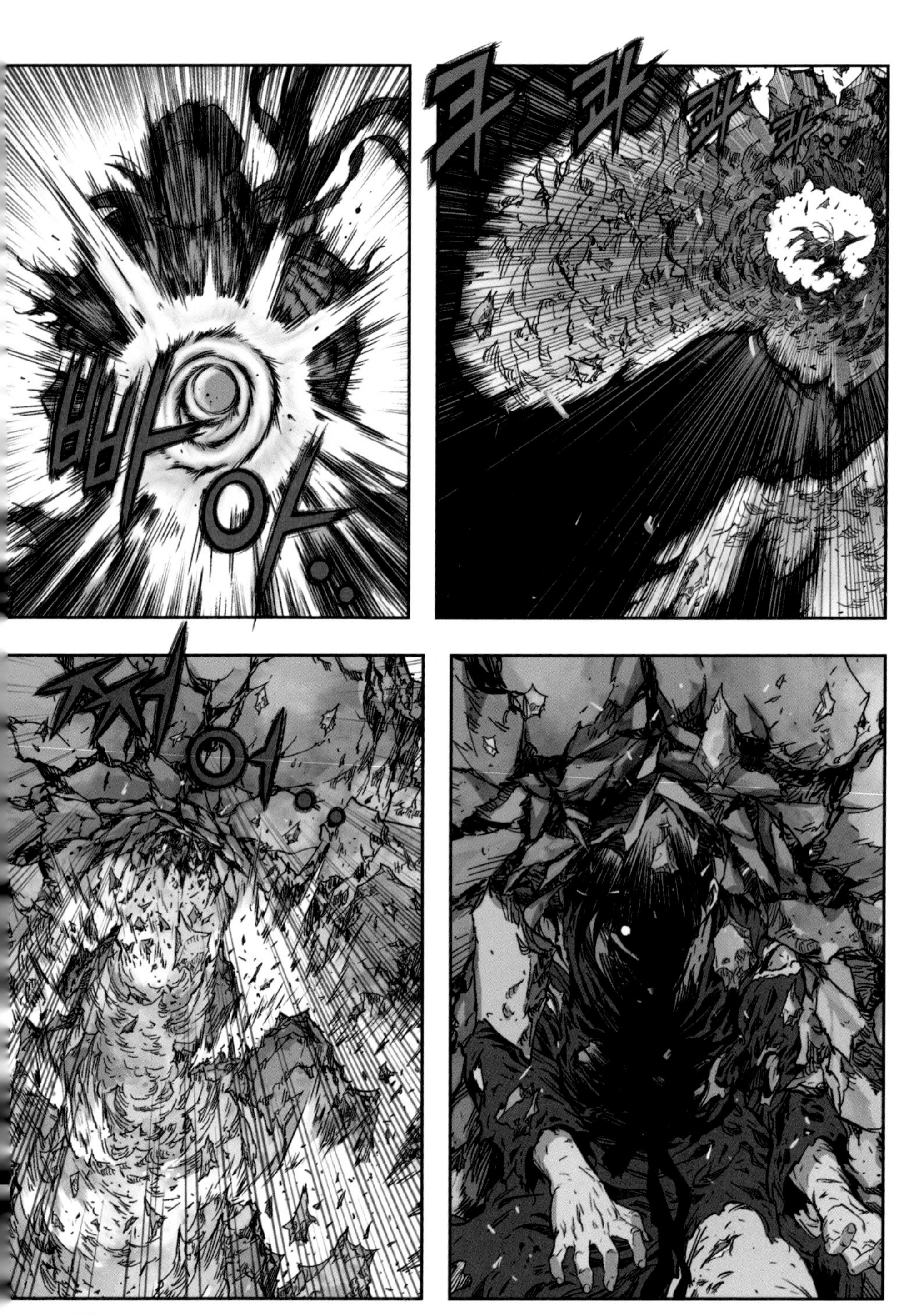
빠아..
쿠콰콰콰..

콰앙..

콰드득...

어설프게 짓이겨 놓았다간
몇 번이고 다시 살아날 테지?
과연 환사가 만든
단을 뽑아낸 뒤에도
그럴 수 있는지 한번 볼까?
부드드

뿌야..

쿠 콰 콰 콰

쿠우우

천원진인지 뭔지
그게 사라지고 나니까
움직이기 한결 낫구먼.

우리 귀여운 후배
괴롭히는 건 그쯤 해두고…,
내가 상대해줄 테니
이리 와!

으응?
뭐야, 그 낯짝은?
네놈도 뭐
방중술이라도 익힌 건가?
늙었다 젊어졌다
제멋대로구만….

컥..

네놈….
분명 내게
뭔가 보여준다고
했었지?

아아…,
그랬지.

음?
후우…
봉이…!

크아앙..

!

카아앙..

쿠콰콰콰

콰아..

흑산포가 네놈이 말한
비기였더냐?!

그럴 리가….
흥..

193화

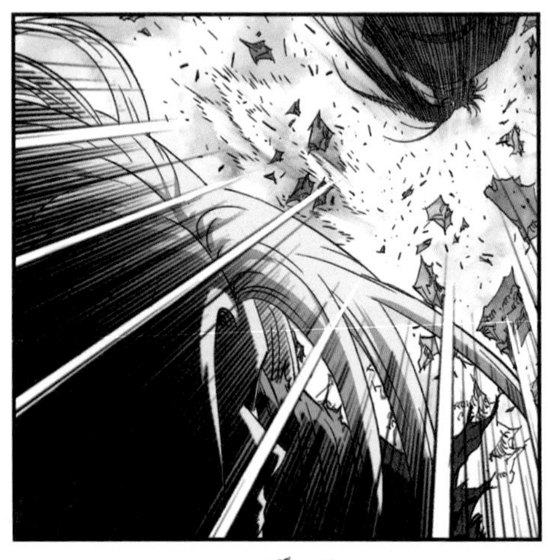

콰아아..

쿠.쿠.쿠.쿠..

츱!!

우•웅..

츄웅..

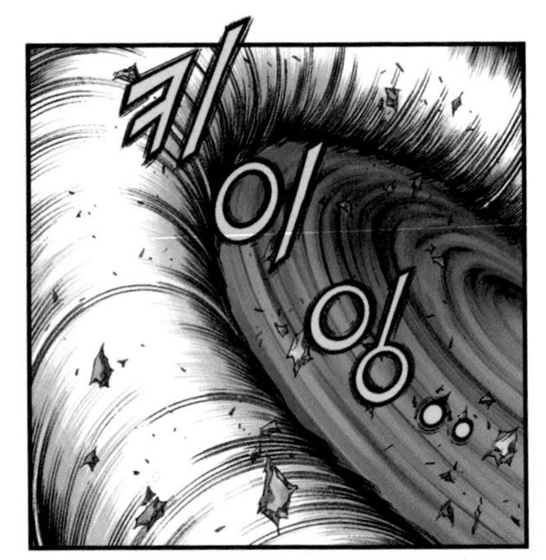
키이잉..

음?!

투확..

쿠아앙..

쿠쿠쿠쿠..

방향을 바꾸는
흑산포라니…!
이건 성가시겠군.
뭐 그런 걸로
놀라고 그래,
부끄럽게….
칭찬받는 것 같아서
맘이 약해지려고 하잖아.

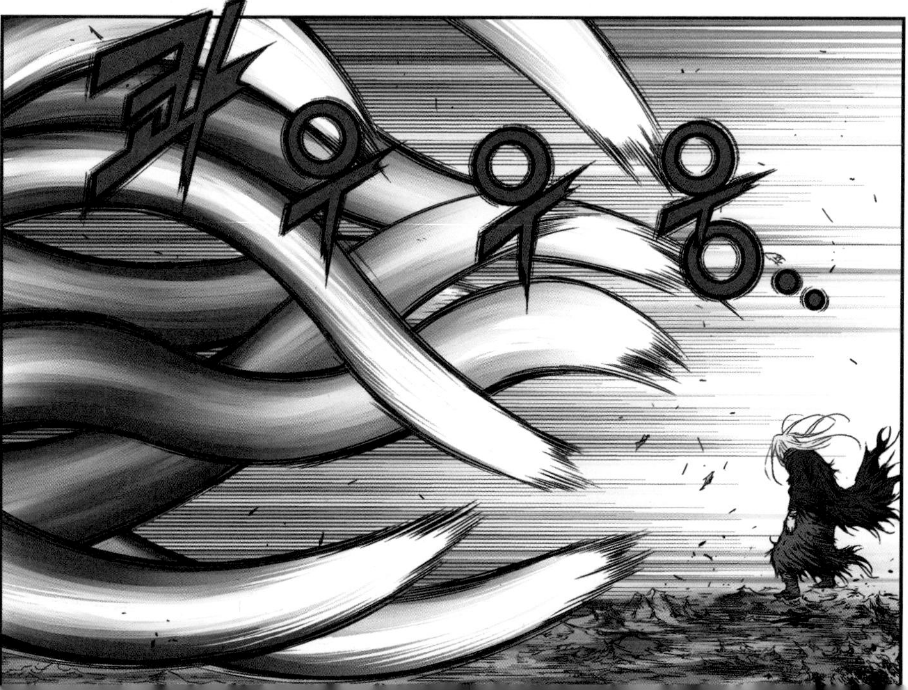
콰오오옹…

오오오오

쿠우..

콰아아아...

콰콰콰콰..

쿠쿠쿠..

쿠..우..우..

이것으로 끝!

후우..

…이었으면 좋았겠지만.
컥..

푸하악..

무형폭쇄아!
후웅..

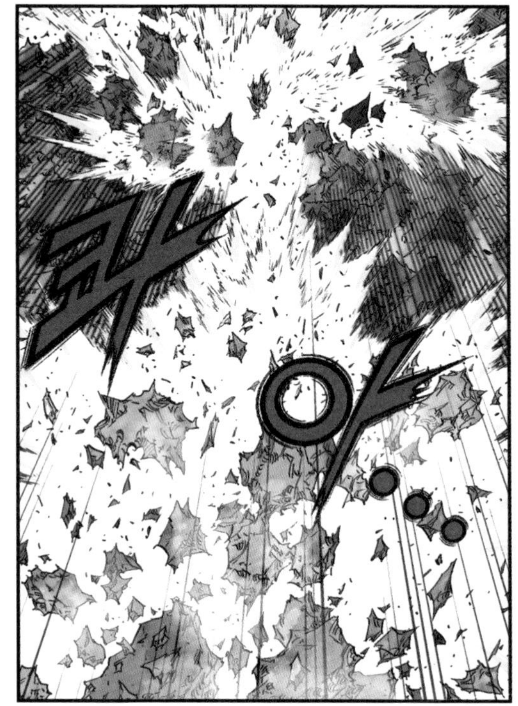
콰아...

콰 콰 콰 콰..

후욱…

!

파앗…

쿠쿠쿵…
쿵…

언제까지고
피해 다닐 수
있을 것 같으냐!

뭣이?!

누가 들으면 내가 계속
도망만 다닌 줄 알겠네,
이거.

키우우웅..
사풍혈륜!
화아아
금광회선창!
쩌어..

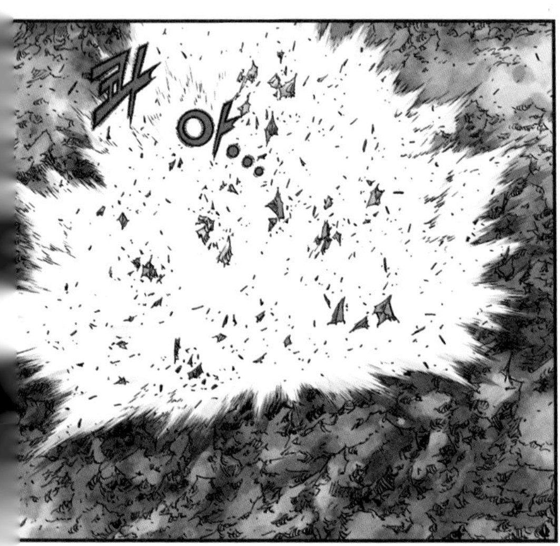
콰아...

콰 콱..

큭..

쿠쿠쿠

으윽….

과연,
용 공자….
하나,
무공은 강해졌지만
체력이 따라주질
않는 모양이군.
자네 정도 되는 인물도
세월은 어쩔 수 없는 건가.

그러게 말이야.
이럴 줄 알았으면
무공 수련 따윈 집어치우고
'단' 같은 거나
찾아 헤매는 건데….

후…

그것…,
생각만 해도
끔찍하군.
뿌드득…
그일에 대한 아쉬움은
저승에서 환사를 직접 만나
풀 수 있게 해주지!
후…우…
미안하지만
내가 낯가림이
좀 있어서….
네놈이 먼저 가서
대신 전해주는 건
어떻겠나?

뚫린 입이라고…!

욱신..

?

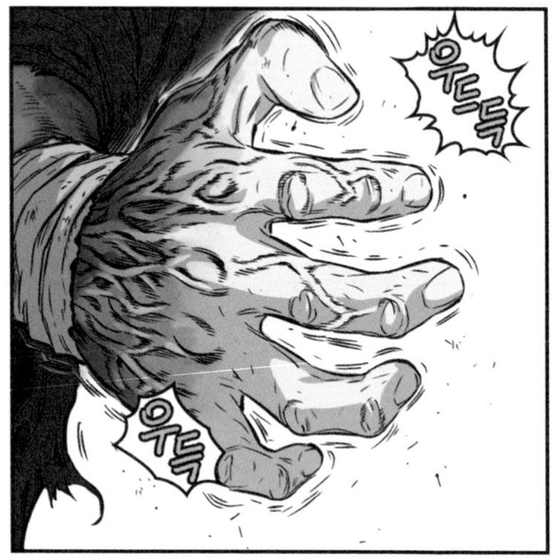
우드득
우득

우드드득..
치릿
치릿

크윽!!

……!

이건
설마…?

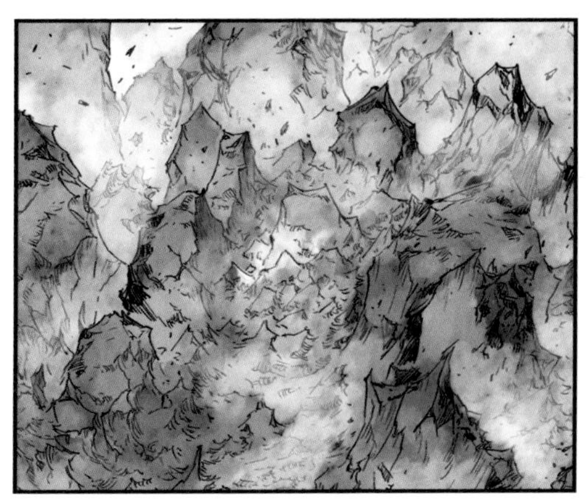

콰득…

쿵

헉..
헉.

쿠쿠쿠쿠...

…….
헉...
헉..

스으..

음?!
오옹...
옹.

흑산포…

염룡사멸!
츄웅...

치익!

쩡...

어.

194화

큭…!

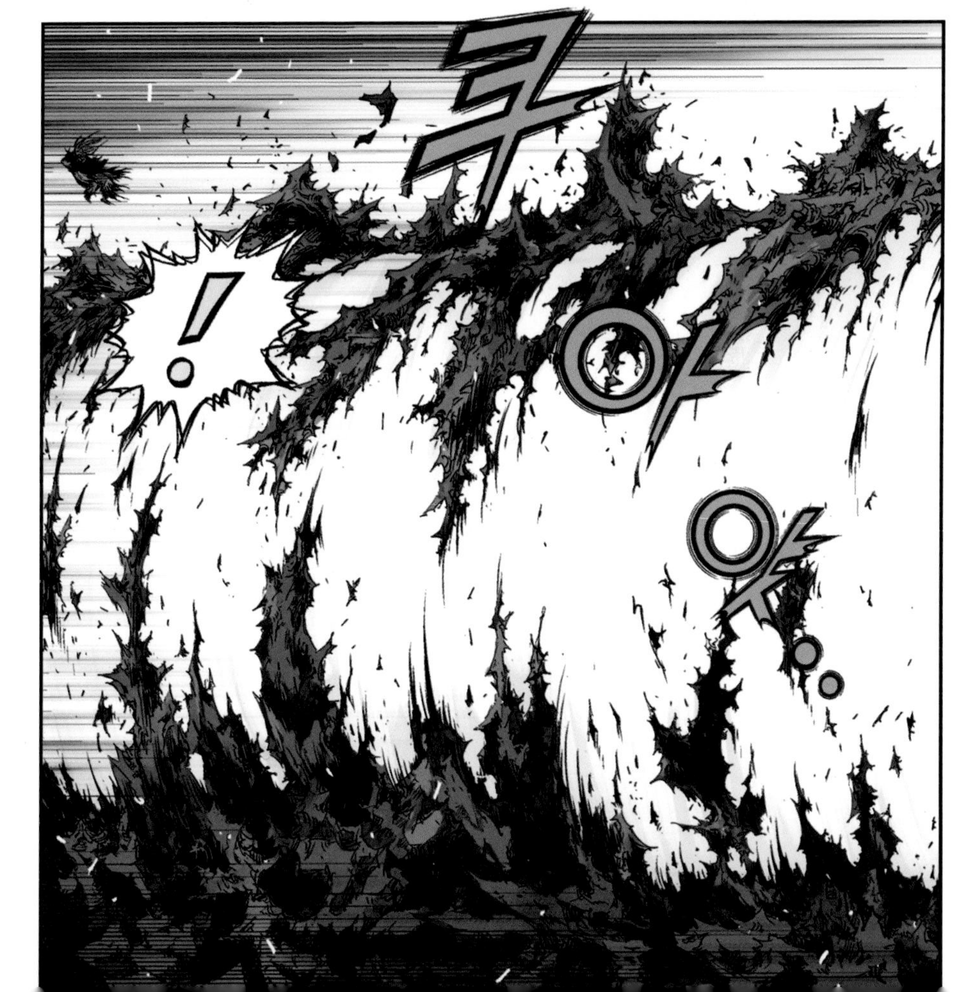
!
크아악…

ㅋㅋㅋㅋ。。。

쿠쿠쿠쿠。。

후우
후우

뜨끔..

윽..

이놈의 가슴이
또….

쿠
쿠
쿠
쿠..

징글징글한
회복력이구만….
쳇…

흑산포…
염룡사멸이라….
네놈이 말한 비기가
이것이었군.
뿌드득

하나, 네놈이 인간인 이상
이 정도의 파괴력을 가진 초식을
무한정 펼칠 순 없을 터.
앞으로 몇 번이나 더
출수할 수 있을까?
두 번? 세 번?
아니, 열 번 정도가
한계이려나?
별걸 다
궁금해하고 있네….
그렇게 궁금하면
본인이 직접
확인해보라고!
네놈이 말하지 않더라도
그럴 생각이니라!
후우..

드드드득…

아수라 혈마공
마검소환식…

콰아…

단혼백팔경!!

달아나거나
피하는 것으로는
단혼백팔경의 반경을
벗어날 수 없다!
......!
어찌하겠느냐,
용비?!

피유웃웃…

우우웅웅..

화아아앙..

금광회선창…

흡자결!
콰우웅…

퉁

콰아아…

쿠
콰
콰
콰...

콰
콰
콰
콰...

쿠
쿠
쿠

쿠웅..
쿵.
쿠쿵..

쿠
구
구..

쿠
쿵...
쿵
쿵..

흑.
후욱.
이거 놀랍군.
가공할 파괴력을 뿜어내던
공격에 비해 방어는
실망스러운 수준이군.
후우.
큭..
흑
후욱
지난 세월 동안 너무
공격에만 중점을 둔 수련을
한 것 아닌가?
……
아무튼 그렇게까지
망가져서야 더 이상
'염룡사멸'이라는 비절 초식은
출수하기 어렵겠는걸?

빠아아…
!

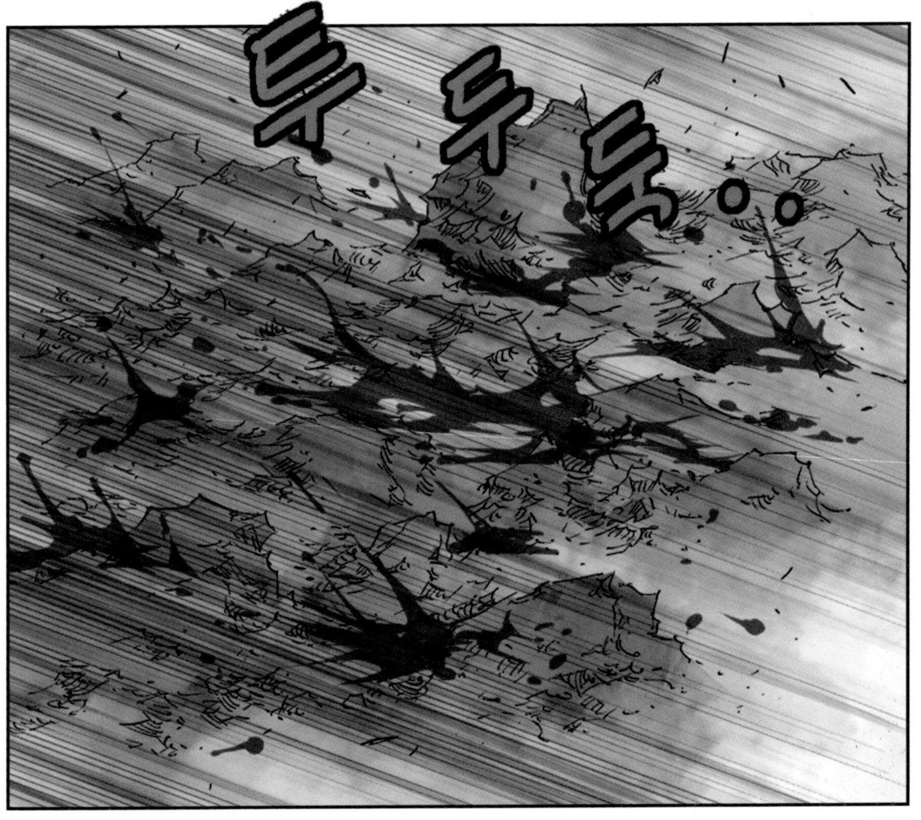
투 두 둑…

울컥

치릿.
치릿.
크큭..

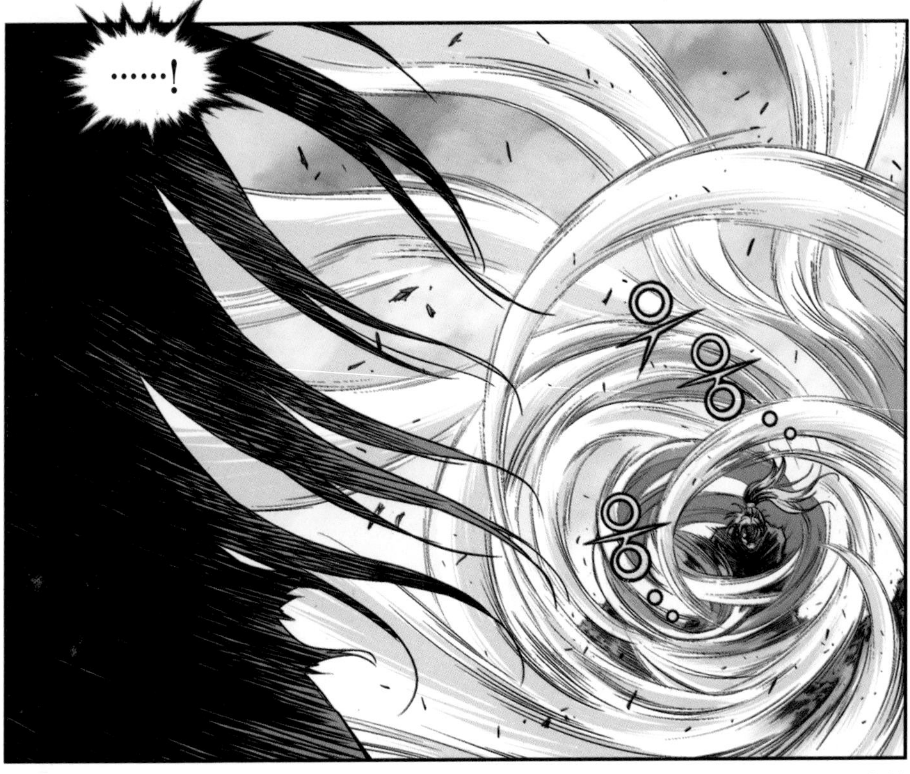
......!
오옹..
옹..

쿡! 이놈,
서 있을 힘도 없는 주제에 객기 부리지 마라!
파야…

콰오오오…

쯔컥

웅
웅
웅

염룡사멸…

사두룡파!
콰
웅

으응..
응..
?!
콰아아아...

크크크크..

!

쿠어억…

쿨럭
쿨럭 쿨럭

쿨럭 쿨럭
크음…

가슴이 타들어가는 것 같아.
이제 한계인가…!
헉
허억

후욱.
후욱.

크…크…크…크…
이거야…,

주화입마에 빠진 건 아닌 듯한데.
…지병 같은 것을 앓고 있었나?
치릭.
치릭.
한순간이긴 했지만 단이 깨어질지도 모른다는 공포를 느끼다니.
만약 놈의 공격이 몇 차례 더 이어졌다면….
…혈비의 단을 파괴했다는 말이 거짓이 아니었던 건가…?!

크윽.
헉.

그런 몸으로
아직 더 싸우겠다고?

뭔 헛소리
하는 거냐, 네놈?

그럼…,
「그대가 내 마지막 상대여서 영광이다.
자, 목을 가져가라.」 따위의
낯간지러운 결말이라도 기대했나?

기이잉…
유언은
들은 것으로 하겠다!

촤아악...

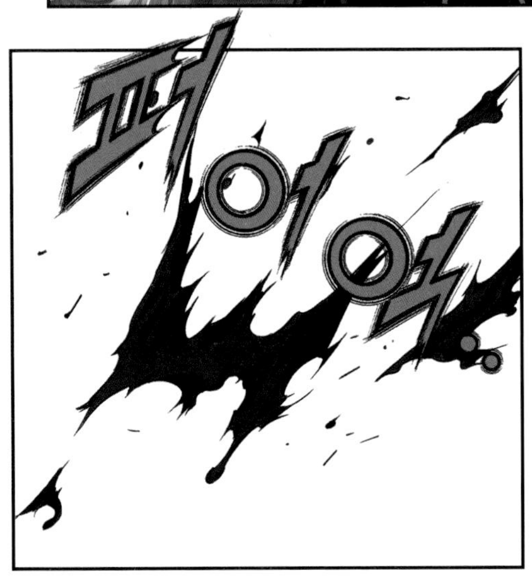
꺼어억..

195화

……!

크아앗…

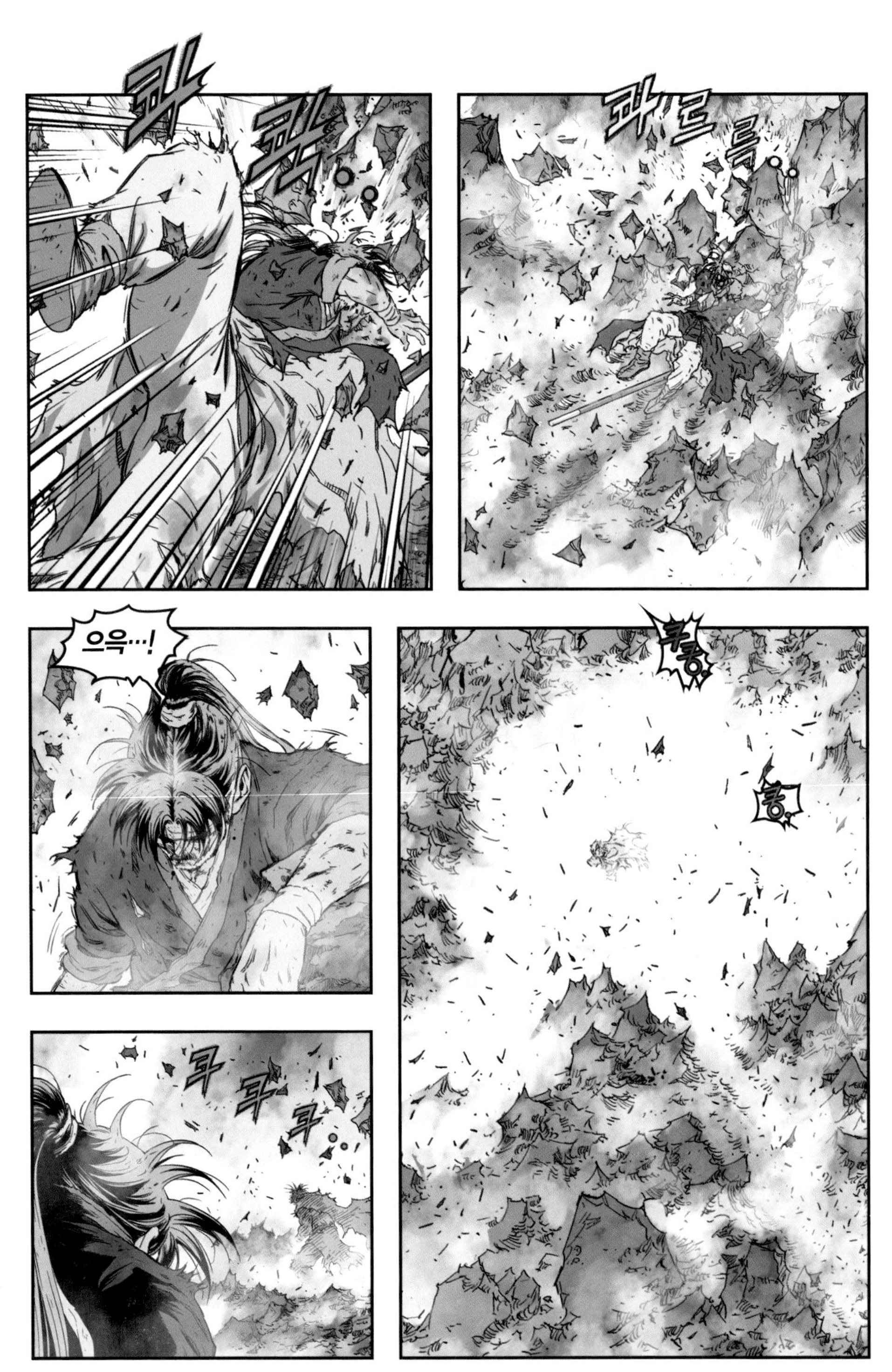
콰
콰앙
파르릉
으윽…!
쿠쿵.
쿵.
쿠
쿠
쿠

투두둑

쿨럭

내가 못 산다,
못 살아….
끄응….

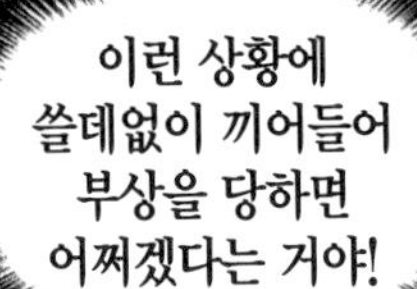
이런 상황에
쓸데없이 끼어들어
부상을 당하면
어쩌겠다는 거야!
나는 내버려두고
놈을 공격했어야지,
이 미련한 늙은이야!

헉
헉

크으음….

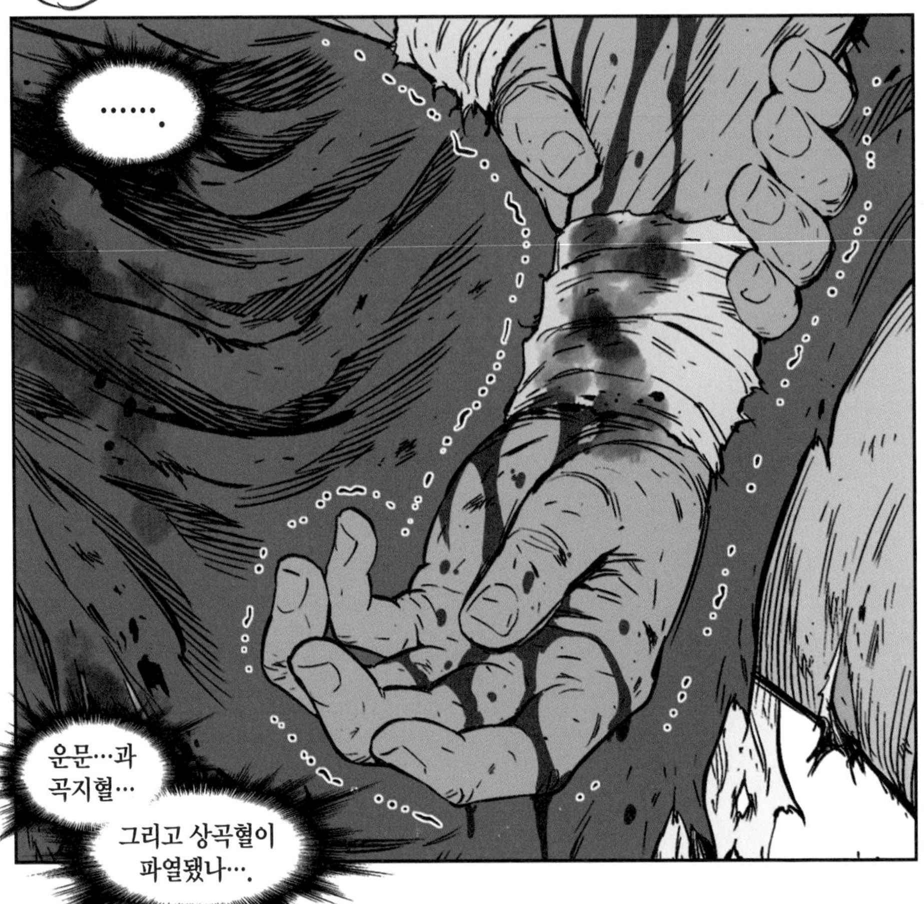
…….
운문…과
곡지혈…
그리고 상곡혈이
파열됐나….

이런 상태로는
기를 제대로
운용하기가….
컥..

이거야…,
큭
큭
큭
천원진을 벗어난 상황에서
천잔왕 구휘가 펼칠 비기를
내심 기대하고 있었건만,
그렇게 상처 입은 몸으로
제대로 싸울 수나 있겠나?

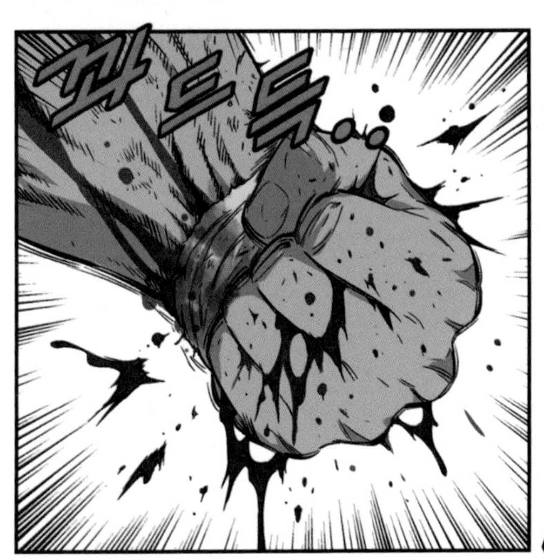
꽈드득..

네놈이 뭐라 지껄이든
이 정도 상처로
달라질 건 없다.

헉...
헉...

쿠웅...

콰콰콰콰...

후웁...

멈춰!

수라마제 옥천비를 상대로
싸워서 이길 순 없다는 걸
알고 있을 텐데.
어떻게 할
생각이야?

!

교…룡갑?

이번에도
도망치라는 따위의
헛소리나 지껄일 생각이면
꺼져버려!

상대를 말살하는 것이 목적이라면 도망치는 게 해결책이라 할 수 없지.

역시…,

그렇다고 싸워서 죽이는 것도 불가능.
하면, 어떻게 해야 할까?
잡아먹는 수밖에…!

뭐?
놈의 손이 몸속을 파고들었을 때 너도 느꼈을 테지?

교룡갑이…
아니군.
누구야,
너?

쿡 쿡…

…….
단…인가?

크크·크크·크··

쿡
윽!
크….
헉.
헉.
쿠쿠쿠쿠..
쿠우.우.우..

쿠 구 구 구…

쿠 구. 구. 구…

…….
폭렬의 진(陣).
상대가 가진
힘의 크기에 반응해
규모가 달라지는
결계라곤 해도,
저토록 거대한
크기라니….
놈을 구속하는 데까진
성공했지만
지금 구휘의 상태로는
거기까지가 한계!
혈맥이 손상된
그 몸으로 다음 단계로
나아가지 못한다.

단이란 기물의
힘이 아니라면
아무리 옥천비라 해도
이미 잿가루가 돼
소멸했겠지만….

크으윽..

쿠 구·구·구..

우욱…!

크그극!

우..우
웅..

키
이이잉…

퍼어엉…
!
퍼
퍼벅…

…안 돼.
이 폭발적인 열기 때문에
기공조차 무용지물이다.
큭…

하나, 이 정도로는
본좌를 죽일 수 없다!

네놈 또한 이 상황을
유지하는 정도가
한계일 터!
시간은
내 편이다.
과연 네놈이 얼마나 더
버틸 수 있는지
천천히 기다려주지!

…….

크오음..

이 옥천비가 가까스로
형태를 유지하는 것이
고작이라니…!
으득…

후우우..우..

……!

쿠·구 구 구..

네놈…!

처럭
처럭

잡아먹는다고…?

그래….

나는 그러기 위해서
태어났으니까!

건방진
애송이 놈…!

퍼어억...

커..오..오..

196화

잡아먹는다고?

그래….

나는
그러기 위해서
태어났으니까.

그리고…,
나는 이미 그 힘을
네게 주었다.

옥천비의 손이
몸속을 파고들었을 때
너도 깨달았을 테지?

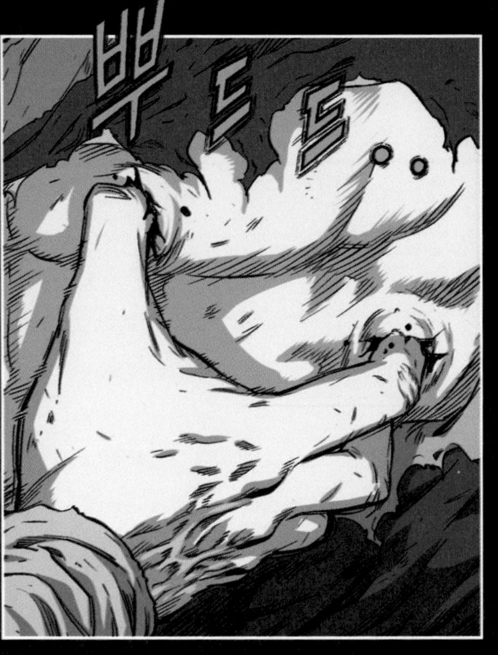
빠드드

……!

하지만,
네가 그럴 수 있는 것처럼 놈 또한 너를 잡아먹을 수 있을 거다!
결국 누구의 의지가 더 강한지가 승패를 결정짓겠지.

선택은 네 몫이다.

지금처럼 어정쩡한 마음가짐으로 덤벼들다가 놈에게 잡아먹히든지.

아니면….

퍼어엉…

큿..
콰앙앙..

이 애송이 놈!
그 짧은 시간에 대체
무슨 일이 있었길래…!

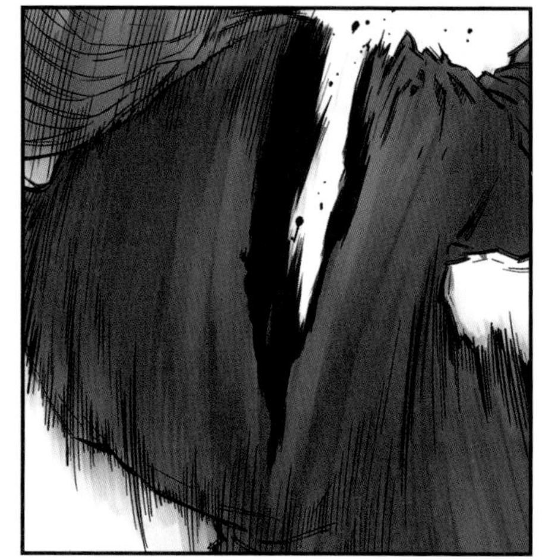

크 크.. 크. 크.

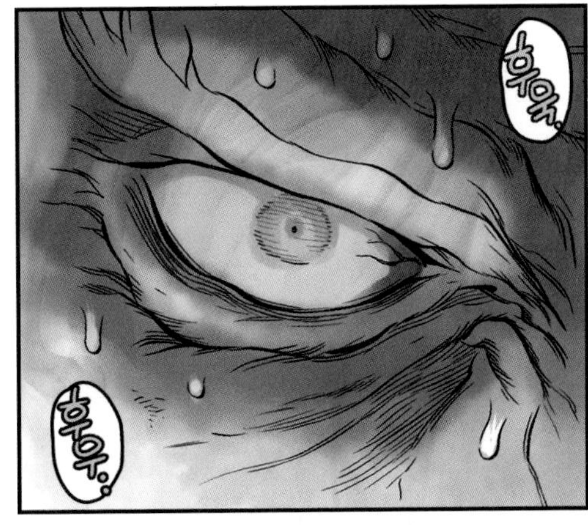
후아.
후우.

빌어먹을…!
의식이 흐려지고 있는 건가.
흡사 놈의 모습이 둘로 분리되는 듯하더니 이제 기괴한 형태로 변이를 일으키는 것 같기도….

…….
그래…, 네놈 말대로다.
뿌득
지금의 나는 이 상황을 유지하는 것이 고작….
지금까지 버텨낸 네놈이 이겼다.

하나…,
퓨우우우。。

최소한 녀석들이
여길 벗어날 시간 정도는
받아내주지!

제법 잘 싸웠다만 여기까지가 네놈의 한계다.
네 육신은 본좌의 일부가 될 것인즉….
뿌드득
콰드득…
콰득…

크으음..!

이… 애송이 놈이
끝까지…!

쿠

천폭멸격!!

쿠
우
웅
!

저 미련한 늙은이가
기어코…!

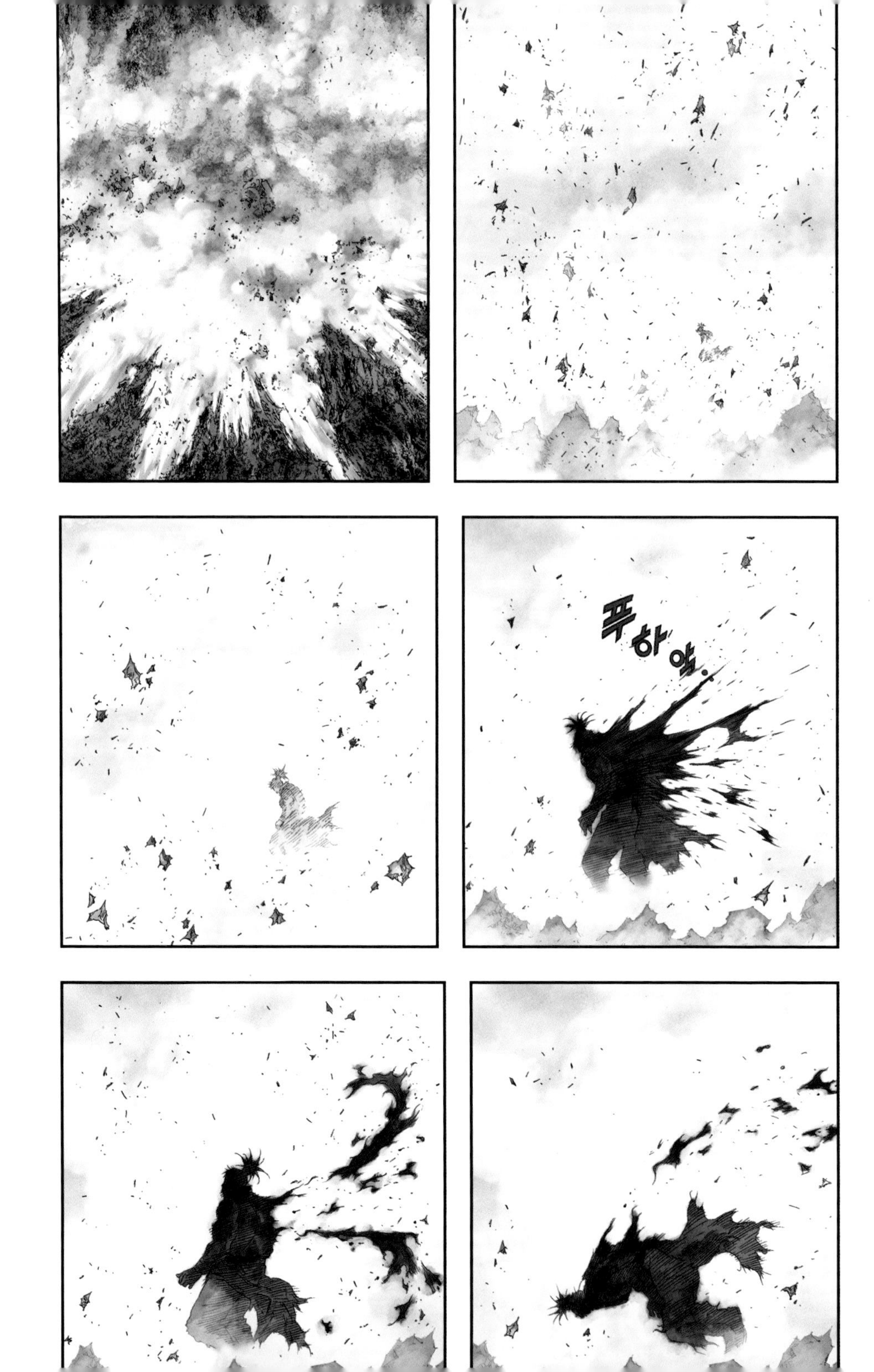
푸하악.

……!
내 이럴 줄 알았다,
이 고지식한 영감탱이!
이봐, 영감!
정신 차려!

후··우우우··

후··우우우··
!

할아버지!

이게 무슨 일이에요?!
눈 좀 떠보세요,
할아버지—!
할멈….
누가
할멈이야!
…….

저기…,

저건…
누구죠?

억!

197화

콰
콰
콰

…….

구영감이 무리한 보람도 없구먼….
후우…
저놈은 내가 막고 있을 테니 부상당한 사람들 챙겨서 먼저 빠져나가!

당신도 안색이 안 좋아 보이는데…, 또 심장에 무리 온 것 아녜요?
좀 쉬어서 이제 괜찮아.

쿠우웅…
!

콰아아아…

콰콰콳…

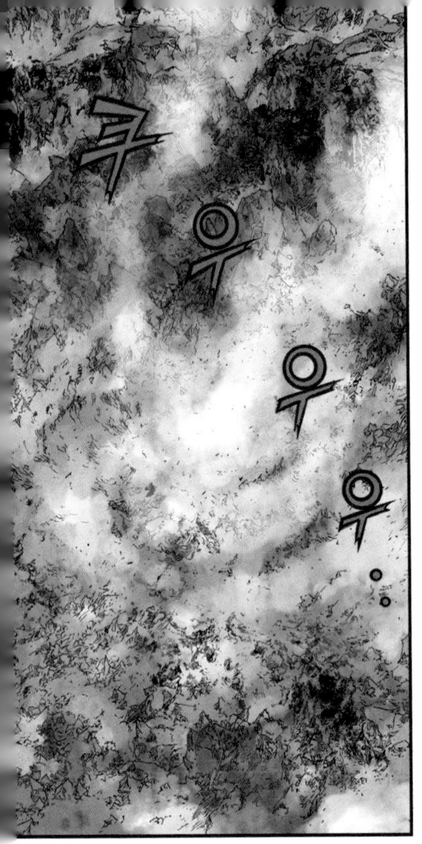
쿠
우
우
우

쿠 쿠 쿠 쿠

후
우
우

그렇게 요란을 떨어대더니 둘이서 저 한 명도 제대로 처리 못하고 지금까지 대체 뭘 한 건지….
……!

당신 기분은 알지만
그렇게 만만히 볼
상대가 아냐.
그러네….
호호…

두 사람이
고전할 만했겠어.

용이…,

…아녜요,
저 사람…?

…….
…….

…….
그만….

이제 더 버틸 힘이 없어요….
그만하세요….

…….
그러니까…
댁네들이 지금까지
싸운 상대가
용이였단 말이네?
무슨 그런
말도 안 되는 소릴…!
그럴 리가 없잖아!

내상이 심하긴 하지만
죽진 않을 테니
너무 걱정 말거라.
……!
어? 그러고 보니
저 아이가 왜
저기서 나온 거지?
옥천비 놈은…??
…….

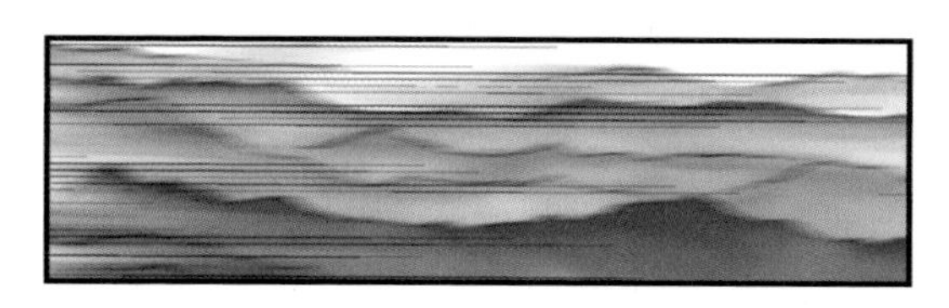

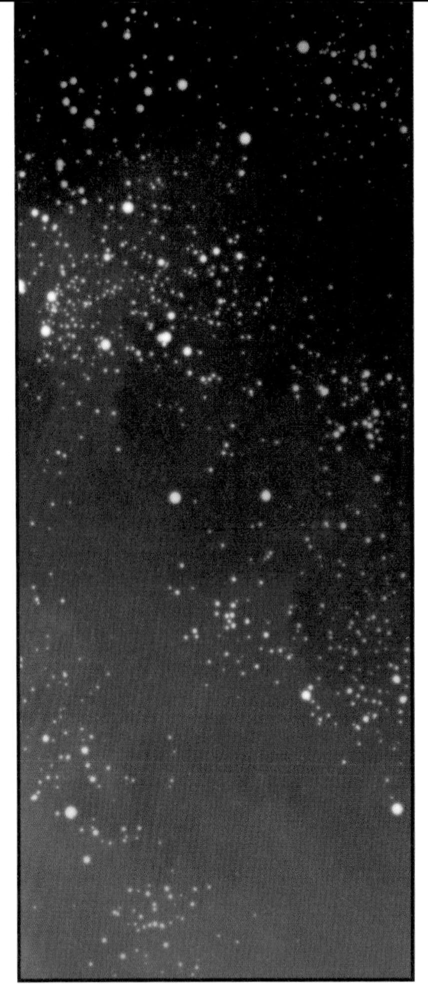

선제님,
당간입니다.

수색을 마치고
자금 복귀했습니다.
고생들
많았어요.

보고드릴 테니
막사 안으로 드시지요.
그래요….

…….
지시하신 곳들을 전부 수색해봤지만 수라마제 옥천비의 흔적은 발견하지 못했습니다.

미처 조사하지 못한 곳이 있을지 모르니 내일 날이 밝는 대로 다시 한번 전 요원을 투입해 샅샅이 수색해보겠습니다.
…….

그리고… 묘각산으로 떠난 일행들은 무사히 잘 도착했다는 전갈이 있었습니다.
잘됐군요.

용 대인께서는…?
아…, 바람 좀 쐬고 오겠다고 잠시 나가셨어요.

그렇습니까.
하면 강룡 그 아이도
같이 갔나 보군요.
글쎄요,
아마….

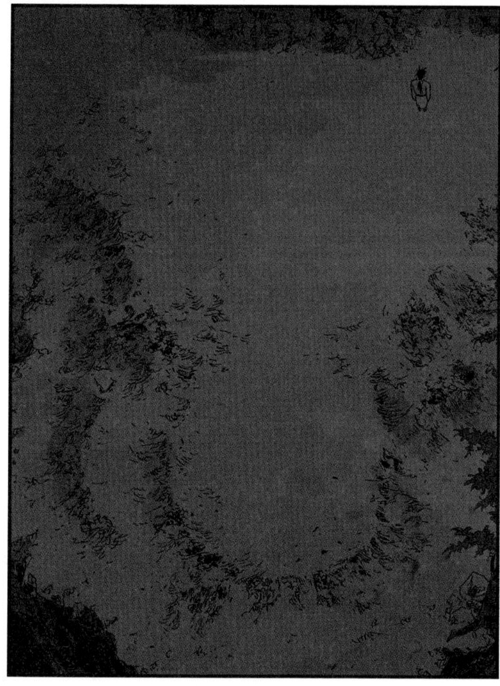

다 왔어요.
여기예요.

허,
이런….

이렇게 간단히
미행을 들키다니,
나도 늙었군.
후…

예?

산책 중에 우연히
절 발견하고
따라오신 줄 알았는데.
미행…이었나요?

…….

음….
생각해보니 산책 중에
우연히 널 발견하고
따라온 거 같아….
…….

16권에 계속

2024년 2월 25일 초판 1쇄 발행

저자 문정후 류기운

발행인 정동훈
편집인 여영아
편집책임 최유성
편집 양정희 김지용 조은별
디자인 디자인플러스
본문편집 한상희

발행처 (주)학산문화사
등록 1995년 7월 1일
등록번호 제3-632호
주소 서울특별시 동작구 상도로 282 학산빌딩
편집부 02-828-8988, 8836
마케팅 02-828-8986

ISBN 979-11-411-1629-3 07650
ISBN 979-11-6927-882-9(세트)

값 15,000원